FROM SAINT PETER'S BASILICA,
THE VATICAN MUSEUMS AND THE SWISS GUARD

ESPLENDORES DEL VATICANO
LA BASÍLICA DE SAN PEDRO, LOS MUSEOS VATICANOS Y LA GUARDIA SUIZA

ISBN 978-0-9814810-0-5
Printed in Canada

This catalogue has been published for the exhibition *Vatican Splendors from Saint Peter's Basilica, the Vatican Museums and the Swiss Guard*. The exhibition is organized and circulated in conjunction with the Governatorato of the Vatican City State. The exhibition is produced by Evergreen Exhibitions.

ISBN 978-0-9814810-0-5
Impreso en Canadá

Este catálogo ha sido publicado para la exhibición *Esplendores Vaticanos: La Basílica de San Pedro, los Museos Vaticanos y la Guardia Suiza*. La exhibición es organizada y distribuida en conjunto con el Gobernatorato de la Ciudad Estado del Vaticano. Es producida por Evergreen Exhibitions.

COVER
Bust of an Angel
After 1304
Giotto di Bondone (1267?-1337)
Polychrome mosaic
Reverenda Fabbrica of Saint Peter, Vatican City State

PORTADA
Busto de un ángel
Posterior a 1304
Giotto di Bondone (1267?-1337)
Mosaico en policromía
Reverenda Fabbrica de San Pedro, Ciudad Estado del Vaticano

Exhibition Curator
Monsignor Roberto Zagnoli

Contributors
We would like to thank the following individuals who contributed to this collection:
Carlo Pellegrini, from the Office of the Liturgical Celebrations of the Supreme Pontiff, Monsignor Roberto Zagnoli, His Exellency Monsignor Piero Marini, Charles Hilken, F.S.C. (CH), Arnold Nesselrath (AN), Roberta Vicchi (RV), and Daniela Zanin (DZ)

We would also like to thank:
Claudia Calicchio, Commander Elmar Theodor Mader, Monsignor Guido Marini, Don Luis Cuna Ramos, Father Marek Rostkwoski, O.M.I., Thomas Smith, and Pietro Zander

Translation:
Luis Matta, Penelope Watson

Design:
Carole Rudzinski

Photography:

Photographs from the Office of Liturgical Celebrations by Davide Borgonovo.

Publishing Committee
Anne Kinsey
Vice President, Exhibits
Evergreen Exhibitions

Claudette Phelps
Exhibit Project Manager
Plaid Dog Studios

Peter Radetsky
Content Developer and Writer
Fricker & Radetsky, Exhibition Development & Design

Publisher
Evergreen Exhibitions
3737 Broadway, Suite 100
San Antonio, TX 78209
www.evergreenexhibitions.com

Director de la exhibición
Monseñor Roberto Zagnoli

Colaboradores
Queremos agradecer a las siguientes personas por sus contribuciones para esta colección:
Carlo Pellegrini, del Oficio de Celebraciones Litúrgicas del Sumo Pontífice, Monseñor Roberto Zagnoli, Su Excelencia Monseñor Piero Marini, Charles Hilken, F.S.C. (CH), Arnold Nesselrath (AN), Roberta Vicchi (RV), and Daniela Zanin (DZ)

También queremos agradecer a:
Claudia Calicchio, Commander Elmar Theodor Mader, Monsignor Guido Marini, Don Luis Cuna Ramos, Father Marek Rostkwoski, O.M.I., Thomas Smith, and Pietro Zander

Traducción:
Luis Matta, Penelope Watson

Diseño:
Carole Rudzinski

Fotografía:

Fotografías del Oficio de Celebraciones Litúrgicas tomadas por Davide Borgonovo

Comité de publicación
Anne Kinsey
Vicepresidente de exhibiciones
Evergreen Exhibitions

Claudette Phelps
Gerente de proyecto de la exhibición
Plaid Dog Studios

Peter Radetsky
Productor de contenido y escritor
Fricker & Radetsky, Exhibition Development & Design

Publicación
Evergreen Exhibitions
3737 Broadway, Suite 100
San Antonio, TX 78209
www.evergreenexhibitions.com

Contents Contenido

# Benedict XVI	# Benedicto XVI
Bishop of Rome	Obispo de Roma
Vicar of Christ	Vicario de Cristo
Successor of the Prince of the Apostles	Sucesor del Príncipe de los Apóstoles
Supreme Pontiff of the Universal Church	Supremo Pontífice de la Iglesia Universal
Primate of Italy	Primado de Italia
Archbishop and Metropolitan of the Roman Province	Arzobispo Metropolitano de la Provincia Romana
Sovereign of the State of the Vatican City	Soberano de la Ciudad Estado del Vaticano
Servant of the Servants of God	Siervo de los siervos de Dios

Curator's welcome

The exhibition you are about to visit will take you on a voyage of discovery to a world often dreamt of but not very well known: the Vatican. The exhibition is a celebration of three milestones in the history of the Vatican: the 500th anniversary of Saint Peter's Basilica, the Vatican Museums, and the Swiss Guard.

The route you follow will help you come to know the figure of the pope, head of state of Vatican City. However, the central figure accompanying you along your way will be Jesus Christ, represented in the exhibition by the extraordinary and precious Mandylion. This painting on cloth dates to the 3rd to 5th centuries and is, without doubt, one of the earliest works preserved in Rome portraying the face of our Savior.

From Christ, the sole founder of the Church, we pass on to the Apostles and especially Peter, who Christ himself chose as Head of the Apostolic College. Then we explore Saint Peter's Basilica, the temple dedicated to him in Rome, which holds his tomb like a precious jewel.

The Basilica of Saint Peter is the exhibition's point of reference – from the ancient church erected by the Emperor Constantine between 320 and 350 AD to the new Renaissance Basilica, the cornerstone of which Pope Julius II laid on the 6th of January, 1506.

Starting from Saint Peter's tomb, we trace the dawn and development of the Basilica, its history going hand in hand with that of the popes. The elections and funeral celebrations of the popes are explained, along with the celebrative-liturgical role of the pontiffs, their teachings, their Christian message, and their dialogue with other religions, traditions, and cultures.

Inspired by the 500th anniversary of the Vatican Museums, particular attention is dedicated to the arts. The Vatican Museums, which have grown steadily over the centuries, reflect the popes' desire to highlight the fact that all things beautiful, good, and true are manifestations of absolute beauty – that is to say, of God. Important works from the various sections of the Vatican Museums are on display, and each stage in our journey through the exhibition is documented with works and objects that have belonged to the popes and which relate to important moments in their lives.

These precious objects help visitors to the exhibition transcend the barriers of space and time and come into direct contact with the reality of the Vatican – not a dreamt-of place but one made tangible by everything they see. In this way they will discover that the journey they are taking is, in a way, every person's journey or, at least, one that every person can make.

Enjoy your visit.

Monsignor Roberto Zagnoli
Curator, Vatican Museums

BIENVENIDA DEL DIRECTOR DE LE EXHIBICIÓN

La exhibición que están a punto de visitar los llevará en un viaje de descubrimiento hasta un mundo a menudo soñado e idealizado, pero no muy bien conocido: El Vaticano. La muestra es la celebración de tres acontecimientos fundamentales en la historia de su aniversario número 500: La basílica de San Pedro, Los Museos Vaticanos y la Guardia Suiza.

La ruta que seguirán les ayudará a conocer la figura del Papa, jefe de estado de la Ciudad del Vaticano. Sin embargo la figura central que los acompañará durante todo el camino será la de Jesucristo, representado en la exhibición por el extraordinario y preciado Mandylion (manto). Esta imagen sobre tela data de los siglos 3 al 5 y es sin lugar a dudas, uno de los primeros trabajos preservados en Roma donde puede apreciarse el rostro de nuestro Salvador.

Desde Cristo, fundador único de la Iglesia, pasando por los apóstoles, especialmente Pedro, a quien Jesús mismo escogió como líder del Colegio Apostólico, para luego explorar la Basílica de San Pedro, el templo que se le ha dedicado en Roma y que guarda su tumba, como una preciosa joya.

La Basílica de San Pedro es el punto de referencia de la exhibición – desde la antigua iglesia levantada por el emperador Constantino entre los años 320 y 350 D.C. – hasta la Basílica del Renacimiento, cuya piedra angular fue puesta por el Papa Julio II el 6 de enero de 1506.

Partiendo de la tumba de San Pedro, seguimos el despertar y desarrollo de la Basílica, así como su historia, que va de la mano con la de los Papas. La celebración de las elecciones y los funerales se explican con el papel litúrgico y celebrante de los pontífices, sus enseñanzas, su mensaje Cristiano y su diálogo con otras religiones, tradiciones y culturas.

Inspirada en el aniversario número 500 de los Museos Vaticanos, la muestra dedica particular atención a las artes. Los Museos Vaticanos, que han crecido sostenidamente a través de los siglos, reflejan el deseo de los Papas de resaltar el hecho de que todas las cosas bellas, buenas y verdaderas, son manifestaciones de la belleza absoluta de Dios. Trabajos importantes de varias secciones de los Museos Vaticanos están en exhibición. Cada etapa de nuestro viaje a través de la muestra está documentada con trabajos y objetos que han pertenecido a los Papas, y que están relacionados con momentos importantes en sus vidas.

Estos preciosos objetos ayudan a los visitantes de la exhibición a trascender las barreras del espacio y el tiempo para entrar en contacto directo con la realidad del Vaticano –no lugar de ensueño– que se hace tangible gracias a todo lo que puede apreciarse. De esta manera descubrirán que el viaje en que se han embarcado es, de alguna manera, un viaje individual; el viaje de cada persona puede realizar.

Disfruten su visita,

Monseñor Roberto Zagnoli
Director de Exhibición, Museos Vaticanos

LENDERS / PARTICIPANTES

Lenders	Participantes
Office of the Liturgical Celebrations of the Supreme Pontiff, Vatican City State	Oficio de Celebraciones Litúrgicas del Sumo Pontífice, Ciudad Estado del Vaticano
Vatican Museums, Vatican City State	Museos Vaticanos, Ciudad Estado del Vaticano
Congregation for the Evangelization of Peoples, Vatican City State	Congregación para la Evangelización de los Pueblos, Ciudad Estado del Vaticano
The Reverenda Fabbrica of Saint Peter, Vatican City State	La Reverenda Fabbrica de San Pedro, Ciudad Estado del Vaticano
Apostolic Floreria, Vatican City State	Florería Apostólica, Ciudad Estado del Vaticano
Pontifical Swiss Guard, Vatican City State	Guardia Suiza del Papa, Ciudad Estado del Vaticano
Private Collection, Vatican City State	Colección privada, Ciudad Estado del Vaticano

Map of the Vatican City State

Mapa de la Ciudad Estado del Vaticano

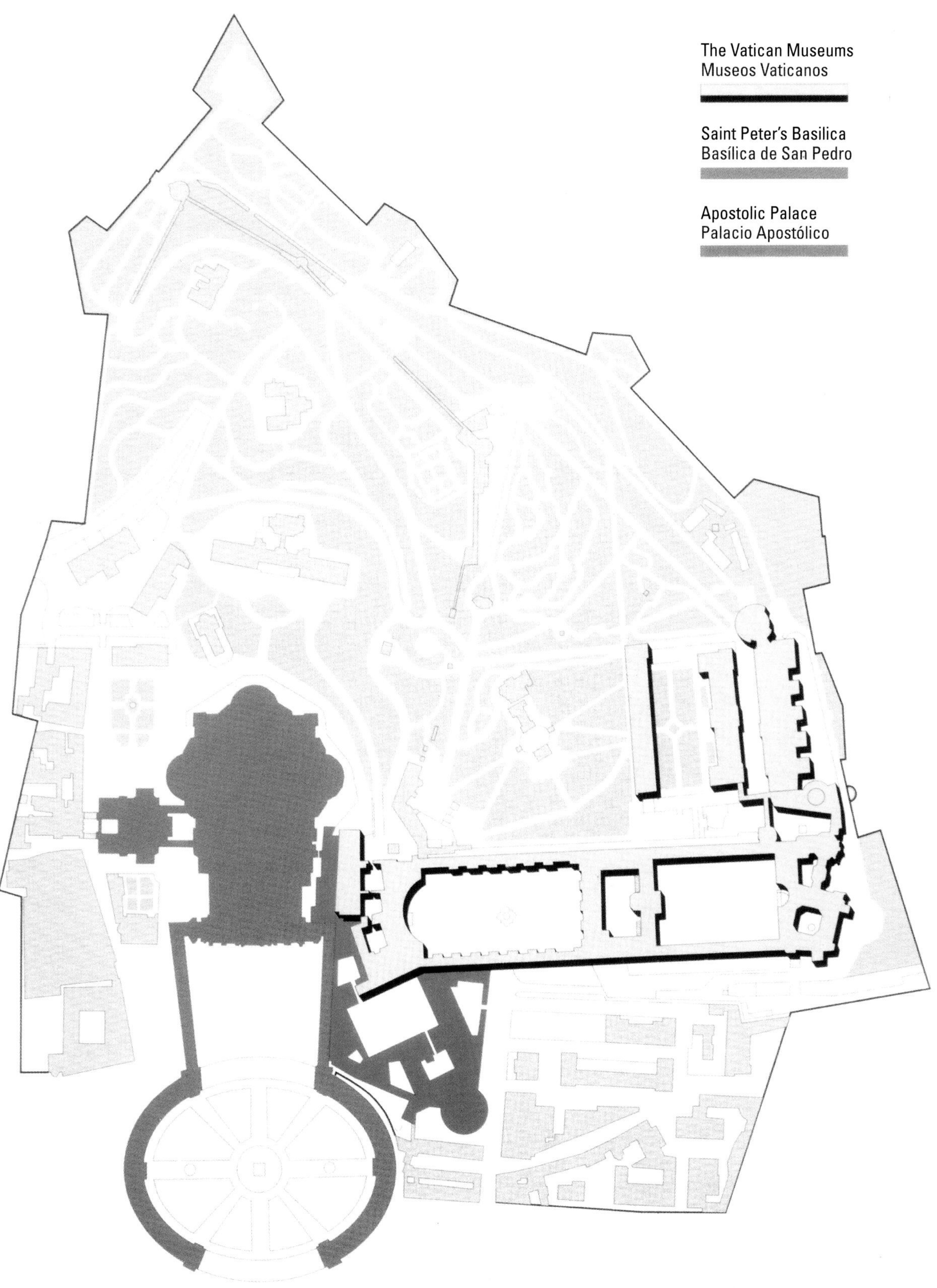

Timeline

Saint Peter and the Tropaion of Gaius

64: Beginning of persecution of Christians by Emperor Nero
64-5, or 67: Execution of Saints Peter and Paul
ca. 136: Execution of Pope Saint Telesphorus
ca. 160: The first tomb-shrine of Saint Peter, the so-called Trophy of Gaius, at the Vatican
235-238: Persecution by Emperor Maximinus Thrax
235: Imprisonment and death of Pope Saint Pontian
250: Persecution by Emperor Decius
250: Execution of Pope Saint Fabian
257-258: Persecution by Emperor Valerianus
258: Execution of Pope Saint Sixtus II
281-305: Reign of Emperor Diocletian
303-311: The Great Persecution
306-337: Reign of Emperor Constantine the Great
311: Edict of Toleration for Christians
312: Battle of the Milvian Bridge
312-326: Eusebius of Ceaserea, The Ten Books of Church History
313: Edict of Milan, legalizing Christianity
314-335: Pontificate of Pope Saint Silvester I

The Constantinian Basilica of Saint Peter

312-318: Construction of Constantinian basilica of Our Savior at the Lateran
319 to mid-fourth century: Construction of Constantinian basilica of Saint Peter
325: First Ecumenical Council, at Nicea
326: Consecration of Basilica of Saint Peter
331: Constantinople made capital of empire
380: Christianity made the religion of the empire
432-461: Saint Patrick's mission in Ireland
440-461: Pope Saint Leo the Great
ca. 520: Foundation of the monastic order of Saint Benedict
590-604: Pope Saint Gregory I the Great. Consecration of a new altar over the tomb of Saint Peter
596: Augustine of Canterbury sent as missionary to Britain
768-814: The reign of Charlemagne
800: Crowning of Charlemagne as emperor of the Romans
862-885: The missions of Saints Cyril and Methodius to the Slavs
989: Baptism of Prince Vladimir of Kiev
1049-54: Pope Saint Leo IX
1059: Reform of papal election procedures
1096: The First Crusade to reconquer Jerusalem
1123: Consecration of a new altar over the tomb of Saint Peter
1181-1226: Saint Francis of Assisi, the "little poor man"
1215: The Fourth Lateran Council
ca. 1230: First Franciscan missionaries to Asia
1276: First papal conclave
1300: Pope Boniface VIII called the first jubilee
1305-74: The papacy in Avignon
1348: The outbreak of the plague, or Black Death, in Europe
1378-1417: The Great Schism in the papacy, between Rome and Avignon
1420: Permanent return of the papal court to Rome

The Renaissance Basilica

1447-55: Pope Nicholas V, the first humanist pope of the Renaissance
1448: Irreparable state of the old Saint Peter's basilica recognized
1450: Leon Battista Alberti began work on the sanctuary of the old basilica
1453: Capture of Constantinople by the Turks
1463: Calling of last crusade to reconquer Jerusalem
ca. 1474: Erection of a new ciborium over the papal altar of Saint Peter
1483: Dedication of the Sistine Chapel
1475: Opening of the Vatican Library
1492-1504: Christopher Columbus' four voyages of discovery
1503: Bramante hired to build a new Saint Peter's basilica
1506: Ground-breaking for the new basilica
1506: Swiss guards made official protector of pope
1506: Founding of the Vatican Museums
1508-12: Michelangelo Buonarroti painted the ceiling of the Sistine Chapel
1508-14: Raphael painted the frescoes of the apartments of Popes Julius II and Leo X
1517: Beginning of the Protestant Reformation by Martin Luther
1519-22: First circumnavigation of the world by Magellan
1522: The last pope elected from outside Italy until 1978
1527: Sack of Rome
1531: Henry VIII as supreme head of the church in England
1534: Foundation of Jesuit Order
1534-41: Michelangelo painted The Last Judgment in the Sistine Chapel
1537: Papal condemnation of Indian slavery
1545-63: Council of Trent
1547: Michelangelo appointed chief architect of Saint Peter's Basilica
1562: Beginning of slave trade between Africa and America
1564: Death of Michelangelo

1566-72: Pope Saint Pius V, canonized in 1712
1582: Reform of the calendar by Pope Gregory XIII
1590: Completion of the dome of the new Saint Peter's Basilica
1592: Discovery of remains of Pompeii
1607-14: Facade of Saint Peter's by Carlo Maderno
1622: Foundation of Congregation for the Propagation of the Faith
1626: Consecration of the new basilica of Saint Peter
1626: Inauguration of the Vatican Polyglot Press
1624-33: Bernini erected the bronze baldachino over the papal altar of Saint Peter's Basilica
1627: Foundation of the Collegium Urbanianum for the training of missionnaries
1633: Galileo's trial and condemnation
1654: Queen Christina of Sweden moved to Rome
1656-67: Bernini designed Saint Peter's Square and the basilica apse
1661: Translation of New Testament into Algonquin
1672: Russian Tsar became Protector of all Greek Orthodox Christians
1706: Excavations at Pompeii and Herculaneum
1759: British Museum opened
1769-70: Cook's discovery of Australia
1771-92: Construction of the Pio-Clementine Museum at the Vatican
1773: Suppression of the Jesuit Order
1775-83: American Revolution
1789-92: French Revolution

The Modern Papacy

1794: Abolition of slavery in French colonies
1796: Rise of Napoleon
1798-99: Imprisonment and death Pope Pius VI
1798: Looting of Vatican by French army
1804: Imperial coronation of Napoleon
1805-22: Construction of the Chiaramonti Museum at the Vatican
1808: United States prohibited importation of slaves
1809-14: Imprisonment of Pope Pius VII
1814: Restoration of the Jesuit Order
1815: Napoleon banished
1820: Papal permission to teach Copernican astronomy
1823: Saint Paul's Outside-the-Walls destroyed by fire and rebuilt
1831-46: Pope Gregory XVI created more than seventy new missionary dioceses
1835: Removal of Galileo's Dialogue from the Index of Prohibited Books
1837: Opening of the Gregorian Etruscan Museum at the Vatican
1839: Papal condemnation of African slave trade
1839: Opening of the Gregorian Egyptian Museum at the Vatican
1844: Inauguration of the Lateran Profane Museum by Pope Gregory XVI
1845: Potato famine in Ireland
1848: Political revolutions in Europe and California Gold Rush
1846-78: Blessed Pope Pius IX, who enjoyed the longest pontificate thus far in history
1854: Declaration of the Doctrine of the Immaculate Conception
1854: Opening of the Pius Christian Museum at the Lateran palace
1869-70: The First Vatican Council and the declaration of Papal Infallibility
1870: The unification of Italy and end of the Papal States
1878-1903: Leo XIII, who enjoyed the third longest pontificate in history, after Pius IX and John Paul II.
1903-14: Pope Saint Pius X, canonized in 1954
1908: United States no longer considered missionary territory
1914-18: World War I
1927: Inauguration of the Pontifical Museum of Missionary Ethnology at the Lateran palace
1929: Creation of the Vatican City State
1932: Opening of the Vatican Picture Gallery
1935: Inauguration of Papal Observatory at Castel Gandolfo
1939-45: World War II
1940-50: Excavation of the tomb of Saint Peter
1950: Declaration of the doctrine of the Bodily Assumption of Mary into Heaven
1958-63: Blessed Pope John XXIII
1962-65: The Second Vatican Council II
1963-70: Transfer of the Lateran Profane and Christian Museums to the Vatican
1963-78: Pope Paul VI
1969-70: Transfer of the Missionary Ethnological Museum to the Vatican
1973: Opening of the Vatican Collection of Modern Religious Art
1973: Founding of the Vatican Historical Museum
1978-2005: Pope John Paul II, who published eighty-eight major documents and made more than ninety-six pastoral journeys, and beatified or canonized more than 1,143 people
2000: Beatification of Pope Pius IX and Pope John XXIII
2005: Death of John Paul II, Pope Benedict's election
2005: Election of Pope Benedict XVI

Cronología de Eventos

San Pedro y el Tropaion -o trofeo- de Gayo

64: Inicio de la persecución de los Cristianos por el Emperador Nerón
.64/5, ó 67: Las ejecuciones de San Pedro y San Pablo
Aprox. 136: Ejecución del Papa San Telésforo
Aprox. 160: La primera tumba-urna de San Pedro, también llamada el Trofeo de Gayo, en el Vaticano
235/238 Persecución del Emperador Maximino Thrax
235: Encarcelamiento y muerte del Papa San Pontiano
250: Persecución por el Emperador Decio
250: Ejecución del Papa San Fabián
267/258: Persecución por el Emperador Valeriano
258: Ejecución del Papa San Sixto II
281/305: Reinado del Emperador Diocletiano
303/311: La gran persecución
306/337: Reinado del Emperador Constantino el Grande
311: Edicto de la Tolerancia de los Cristianos
312: Batalla del puente Milviano
312/326: Eusebio de Cesárea, los Diez Libros de la Historia de la Iglesia
313: Edicto de Milán, Legalización del Cristianismo
314/335: Pontificado del Papa San Silvestre I

La Basílica Constantina de San Pedro

312/318: Construcción de la basílica Constantina de Nuestro Salvador en Letrán
319 a mediados del Siglo catorce:
Construcción de la basílica Constantina de San Pedro
325: Primero Concilio Ecuménico en Nicea
326: Consagración de la basílica de San Pedro
331: Constantinopla es declarada capital del imperio
380: El Cristianismo es declarado religión del imperio
432/461: Misión de San Patricio en Irlanda
440/461: Papa San León el Grande
Aprox. 520: Fundación de la orden monástica de San Benedicto
590/604: Papa San Gregorio I el Grande. Consagración de un nuevo altar sobre la tumba de San Pedro
596: Agustino de Canterbury es enviado como misionero a Bretaña
768/814: El reinado de Carlomagno
800: Coronación de Carlomagno como emperador de los romanos
862/885: Las misiones de San Cirilo y San Metodio entre los eslavos
989: Bautizo del príncipe Vladimiro de Kiev
1049/54: Papa San León IX
1059: Reforma de los procedimientos para la elección papal.
1096: La Primera Cruzada para reconquistar as Jerusalén
1123: Consagración de un nuevo altar sobre la tumba de San Pedro
1181/1226: San Francisco de Asís, el "pequeño pobre hombre"
1215: El Cuarto Concilio Letrán
Aprox. 1230: Primera misión Franciscana a Asia
1276: Primer cónclave papal
1300: El Papa Bonifacio VIII convoca el primer Jubileo
1305/74: El papado de Aviñón
1348: El brote de la plaga, o Muerte Negra, en Europa
1378/2417: El gran cisma –o división- del papado entre Roma y Aviñón
1420: Regreso permanente de la corte papal a Roma

La basílica del renacimiento

1447/55: El Papa Nicolás V, el primer Papa humanista del Renacimiento
1448: Se acepta el estado irreparable de la vieja basílica de San Pedro
1450: Leon Battista Alberti empieza el trabajo del santuario de la vieja basílica
1453: Captura de Constantinopla por los turcos
1463: Llamado a la última cruzada para reconquistar Jerusalén
Aprox. 1474:
Construcción del nuevo ciborio o copón sobre el altar papal de San Pedro
1483: Dedicación de la Capilla Sixtina
1475: Inauguración de la Biblioteca del Vaticano
1492/1504: Los cuatro viajes del descubrimiento, realizados por Cristóbal Colón
1503: Bramante es contratado para construir una nueva basílica de San Pedro
1506: Inicio de los trabajos en la nueva basílica
1506: La Guarda Suiza es designada como la protección oficial del Papa
1506: Fundación de los Museos Vaticanos
1508/12: Miguel Ángel Buonarroti pinta el techo de la Capilla Sixtina
1508/14: Rafael pinta los frescos en los aposentos de los Papas Julio II y León X
1517: Inicio de la reformación protestante de Martín Lutero
1519/22: Primera navegación alrededor del mundo por Magallanes
1522: Es elegido el último Papa no italiano, hasta 1978
1527: Saqueo de Roma
1531: Enrique VIII, líder supremo de la iglesia en Inglaterra
1534: Creación de la orden Jesuita
1534/41: Migue Ángel pinta El Juicio Final en la Capilla Sixtina
1537: Rechazo papal a la esclavitud indígena
1545/63: Concilio de Trento

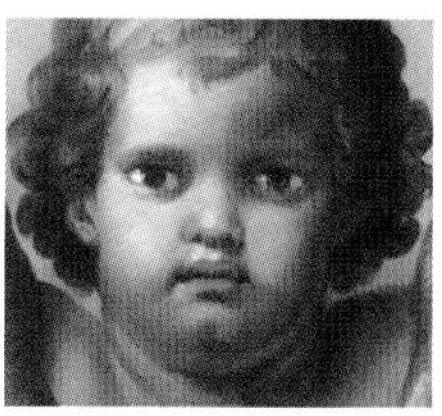

1547: Miguel Ángel es designado arquitecto en jefe de la Basílica de San Pedro
1562: Se inicia el tráfico de esclavos entre África y América
1564: Muerte de Migue Ángel
1566/72: Papa San Pío V, canonizado en 1712
1582: Reforma del calendario por el Papa Gregorio XIII
1590: Culminación del domo de la nueva Basílica de San Pedro
1592: Descubrimiento de los restos de Pompeya
1607/14: Fachada de San Pedro por Carlo Maderno
1622: Creación de la Congregación para La Propagación de la Fe
1626: Consagración de la nueva Basílica de San Pedro
1626: Inauguración de la Tipografía Políglota Vaticana
1624/33: Bernini levanta el baldaquín -o ciborio- de bronce sobre el altar papal de la Basílica de San Pedro
1627: Fundacion del Collegium Urbanianum para el entrenamiento de misioneros
1633: Juicio y condenación de Galileo
1654: La reina Cristina de Suecia se traslada a Roma
1656/67: Bernmini diseña la Plaza de San Pedro y el ápside de la basílica
1661: Traducción del Nuevo Testamento al Algonquino (dialecto indígena)
1672: El zar ruso de vuelve protector de todos los Cristianos Ortodoxos Griegos
1706: Excavaciones en Pompeya y Herculano
1759: Abre el museo Británico
1769/70: Cook descubre Australia
1771/92: Construcción del Museo Pío-Clementino en el Vaticano
1773: Eliminación de la orden Jesuita
1775/83: Revolución de las colonias norteamericanas
1789/92: Revolución francesa

El Papado moderno

1794: Abolición de la esclavitud en las colonias francesas
1796: Surgimiento de Napoleón
1789/99: Encarcelamiento y muerte del Papa Pío VI
1798: El ejército francés saquea el Vaticano
1804: Coronación imperial de Napoleón
1805/22: Construcción del Museo Chiaramonti en el Vaticano
1808: Estados Unidos prohíbe la importación de esclavos
1809/14: Encarcelamiento del Papa Pío VII
1814: Restauración de la orden Jesuita
1815: Destierro de Napoleón
1820: Permiso papal para enseñar la astronomía de Copérnico
1823: San Pablo Extramuros, destruida por el fuego y reconstruida
1831/46: El Papa Gregorio XVI crea más de setenta nuevas diócesis misioneras
1835: El Diálogo de Galileo es retirado de la lista de libros prohibidos
1837: Inauguración del Museo Etrusco en el Vaticano
1839: Rechazo papal al tráfico de esclavos africanos
1839: Inauguración del Museo Gregoriano Egipcio en el Vaticano
1844: El Papa Gregorio XVI inaugura del Museo Profano de Letrán
1845: La hambruna de la papa en Irlanda
1845: Revoluciones políticas en Europa y fiebre del oro en California
1846/78: El bendito Papa Pío IX, quien disfrutó del papado más largo de la historia, hasta hoy
1854: Declaración de la Doctrina de la Inmaculada Concepción
1854: Inauguración del Museo Cristiano Pío en el palacio de Letrán
1869/70: Primer Concilio Vaticano y declaración de la infalibilidad del Papa
1870: Unificación de Italia y fin de los Estados Pontificios
1878/1903: León XIII, quien disfrutó del tercer pontificado más largo de la historia, detrás de Pío IX y Juan Pablo II
1903/14: Papa San Pío X, canonizado en 1954
1908: Estados Unidos deja de ser considerado territorio misionero
1914/18: Primera Guerra Mundial
1927: Inauguración del Pontifico Museo Misionero Etnológico en el palacio de Letrán
1929: Creación de la Ciudad Estado del Vaticano
1932: Inauguración del la Galería Fotográfica del Vaticano
1935: Inauguración del Observatorio Papal en Castel Gandolfo
1939/45: Segunda Guerra Mundial
1940/50: Excavación de la tumba de San Pedro
1950: Declaración de la doctrina de asunción al cielo, en cuerpo y alma, de la virgen María
1958/63: Bendito Papa Juan XXIII
1962/65: Concilio Vaticano Segundo
1963/70: Transferencia de los museos Profano de Letrán y Cristiano, al Vaticano
1963-78: Papa Pablo VI
1969/70: Transferencia del Museo Misionero Etnológico al Vaticano
1973: Inauguración del la Colección de Arte Moderno Religioso del Vaticano
1973: Fundación del Museo Histórico Vaticano
1978/2005: Papa Juan Pablo II, quien publicó 88 documentos principales y realizó más de 96 viajes pastorales, beatificó o canonizó a más de 1,143 personas
2000: Beatificación de los Papas Pío IX y Juan XXIII
2005: Muerte del papa Juan Pablo II, selección del Papa Benedicto
2005: Elección del Papa Benedicto XVI

From Visible to Invisible Beauty

Monsignor Piero Marini

Vatican Splendors from Saint Peter's Basilica, the Vatican Museums and the Swiss Guard presents works of art, furnishings, and sacred vesture from the Vatican collections, dating from the third century to today. Some of the works clearly reflect particular tastes, at times quite different from our own, and others express the spirit of noble simplicity characteristic of the period following the Second Vatican Council.

These objects, whether highly ornate or simple and austere, are of significant artistic beauty. Though usually out of public view, they were created to be seen and appreciated by all. By being shown in this exhibition, they in some way recover their original purpose, which is to awaken the wonder born of beauty. In his Letter to Artists, Pope John Paul II wrote that *faced with the sacredness of life and of the human person, and before the marvels of the universe, the only appropriate response is wonder.... Thanks to this wonder, humanity, whenever it loses its way, will be able to lift itself up and set out again on the right path. It has been said with profound insight that "beauty will save the world." Beauty is a key to the mystery and a call to transcendence. It is an invitation to savor life and to dream of the future (p. 16).*

The sense of wonder and transcendence evoked by these works is directed, above all, to the beauty and grandeur of God. This is particularly evident in the case of objects created for divine worship and, thus, as an expression of the primacy of God (Fig. 2). Precious materials and distinguished artists help "to make the things set apart for use in divine worship worthy, becoming, and beautiful, signs and symbols of supernatural

Fig. 1
Pope Paschal I with the Pallium, 9th century, Basilica of Saint Cecilia in Trastevere

Papa Pascual I con el palio. Siglo 9. Basílica de Santa Cecilia en Trastevere

De la belleza visible a la invisible

Monseñor Piero Marini

La exposición Esplendores del Vaticano: La basílica de San Pedro, los Museos Vaticanos y la Guardia Suiza, presenta obras de arte, mobiliario y vestiduras sacras de colecciones del Vaticano que datan del siglo tercero hasta nuestros días. Algunas de las obras reflejan claramente ciertos gustos particulares, a veces bastante diferentes de los nuestros, mientras otros expresan el espíritu de la noble simpleza que siguió al Segundo Concilio Vaticano.

Estos objetos, ya sean muy adornados, o sencillos y austeros, poseen belleza y significado artístico. Aunque por lo general están fuera de la vista del público, fueron creadas para ser apreciadas por todos. Al ser presentadas en esta exhibición recobran de alguna manera su propósito original, que es despertar las maravillas de la belleza. En su carta a los artistas, el Papa Juan Pablo II escribió:

Ante la santidad de la vida y la persona humana, y ante las maravillas del universo, la única respuesta adecuada es "maravilla". Gracias a esta maravilla, cada vez que la humanidad se desvíe del camino, será capaz de encontrar nuevamente el camino correcto. Se ha dicho con profundo entendimiento que "la belleza salvará al mundo". La belleza es la llave al misterio y un llamado a trascender. Es una invitación a saborear la vida y soñar con el futuro (p.16).

El sentido de maravilla y transcendencia que evocan estos artefactos u obras de arte está orientado, sobre todo, a la belleza y grandeza de Dios. Esto es especialmente evidente en el caso de los objetos creados para adoración divina y, por lo tanto, como expresión de la supremacía de Dios (Fig. 2). Materiales preciosos y reconocidos artistas han

realities" (Vatican Council II, Constitution on the Sacred Liturgy, 122).This, then, is what the visitor is first invited to reflect upon throughout this exhibition.

The Life and Ministry of the Bishop of Rome

The objects on view are not simply elegant artifacts or works of art to be admired. Each is linked to the bishop of Rome and each has a distinct purpose: to testify to important historical events or the events of everyday life, and to illustrate the ministry that the successor of Peter has exercised – and continues to exercise – in the church's pilgrimage through history.

Some objects recall places linked to the Roman pontiffs, such as the Basilica of Saint Peter and the Tomb of the Apostle. Others reveal aspects of the pope's private life or illustrate his public activity in Rome and the world. Still others evoke the most significant moments in the life of the pope: his election, the solemn inauguration of his pastoral ministry in the church, his death and funeral, the vacancy of the apostolic see, and the conclave that elects his successor.

Of particular interest are those works connected with the liturgical celebrations at which the bishop of Rome presides. Some papal vestments and items have fallen into disuse or were purposely abandoned – the tiara, the buskins, the ceremonial gloves or the "fistula" for receiving communion from the chalice – because they no longer speak to contemporary sensibilities or express the authentic Petrine ministry. Many of the objects shown here, however, continue to be used at papal liturgical celebrations and testify to the variety and the distinctiveness of that liturgy over the centuries. When the pope presides at the celebration of the sacred mysteries and proclaims the word of God, he most clearly manifests his specific Petrine ministry. In the words of Scripture, this ministry can

Fig. 2
Chalice of Pope Leo XIII (1878-1903)

Cáliz del Papa León XIII (1878-1903)

ayudado a "transformar aquellos objetos necesarios para la adoración divina en bellos signos y símbolos de realidades supernaturales" (Concilio Vaticano Segundo, Constitución de la Sagrada Liturgia, 122). Esperamos que los visitantes a esta exhibición tengan la oportunidad de reflexionar acerca de esto.

Vida y ministerio del obispo de Roma

Los objetos de la muestra no son simplemente artefactos elegantes u obras de arte para ser admiradas. Cada una está ligada al obispo de Roma y cada uno tiene un propósito específico: dar testimonio sobre importantes hechos históricos o de la vida diaria, e ilustrar el ministerio que ha ejercido – y aún ejerce – el sucesor de Pedro en la peregrinación de la iglesia a través de la historia.

Algunos objetos recuerdan lugares ligados a los pontífices romanos, como la basílica de San Pedro y la Tumba del Apóstol. Otros revelan aspectos de la vida privada del Papa o ilustran su actividad pública en Roma y el mundo. Y aún más, otros evocan algunos de los momentos significativos en la vida del Papa: su elección, la solemne inauguración de su ministerio pastoral en la iglesia, su muerte y funeral, la vacante de la sede apostólica y el cónclave que elige a su sucesor.

De particular interés son aquellos trabajos conectados con las celebraciones litúrgicas que preside el obispo de Roma. Algunos vestidos papales y objetos han caído en desuso o han sido abandonados a propósito – la tiara, las sandalias romanas, los guantes ceremoniales, o la "fístula" para recibir la comunión del cáliz–, porque ya no responden a las necesidades contemporáneas o no reflejan el auténtico ministerio de Pedro. Numerosos objetos mostrados aquí, no obstante, todavía de usan en celebraciones papales litúrgicas y ofrecen testimonio de las diferencias y variedad de las liturgias a través de los siglos. Cuando el Papa preside la celebración de los sagrados misterios

be described as the work of confirming his brethren in the faith (cf. Lk 22:31-32).

In admiring the beauty of these objects, the visitor will, then, intuit something of the invisible beauty of God but also ponder the profound, authentic meaning of the faith and the liturgical theology embodied in them. In some way this means recognizing the vital link between liturgical celebration, ecclesial life, and episcopal ministry. While all liturgical celebrations, and the Eucharist in particular, are manifestations of the church in different offices and ministries (cf. Constitution on the Sacred Liturgy, 41), it is also true that the ministry of presiding at the liturgy manifests the ministry of presiding over the church. When it is the successor of Peter who presides at the liturgy, it is all the more evident that one pastor has been set over the church.

Consequently, the art and sacred vestments aimed at evoking the liturgical ministry of the bishop of Rome are significant not simply because of their precious material, beauty, or history, but, above all, because, through the language of sign and symbol, they continue to speak of faith – a faith lived out in different ways over time, but ever alive in the community of believers and constantly confirmed by the successor of Peter.

Some Vestments and Liturgical Insignia Proper to the Bishop of Rome

The Second Vatican Council, returning to the biblical and patristic tradition, addressed a fundamental pastoral concern, namely, that of helping the faithful better understand the meaning of the celebration and participate in it fully, actively, and as a community (Constitution on the Sacred

Fig. 3
Decimo Regio, Miter of Pope John Paul II, used during the opening ceremony of the jubilee year 2000

Decimo Regio, mitra del Papa Juan Pablo II, usada durante la ceremonia de inauguración del año jubilar en 2000

y proclama la palabra de Dios, es cuando más claramente manifiesta la continuación del ministerio de Pedro. En palabras de las Escrituras, el ministerio puede ser descrito como el trabajo de confirmar a sus hermanos en la ley (cf. Lk 22:31-32).

Al admirar la belleza de estos objetos, es cuando el visitante sentirá algo de la belleza invisible de Dios y podrá reflexionar acerca del profundo y auténtico significado de la Fe y la teología litúrgica que encarnan. De alguna manera esto significa reconocer el vínculo vital entre la celebración litúrgica, la vida eclesial y el ministerio episcopal. Mientras todas las celebraciones litúrgicas, y la eucaristía en particular, son manifestaciones de la iglesia en diferentes oficios y ministerios (cf. Constitución de la Sagrada Liturgia, 41), también es cierto que el ministerio de presidir la liturgia, hace evidente el de presidir sobre la iglesia. Cuando es el sucesor de Pedro quien preside la liturgia, es aún más claro que la iglesia tiene un pastor.

Por consiguiente, el arte y las sagradas vestiduras usadas para evocar el ministerio litúrgico del obispo de Roma son importantes, no simplemente por ser un material precioso, bello o histórico sino, sobre todo, porque en su propio lenguaje, los signos y símbolos continúan hablando de la Fe – una Fe vivida de maneras diferentes a través del tiempo, pero siempre viva en la comunidad de creyentes y confirmada constantemente por el sucesor de Pedro.

Algunas vestiduras e insignias litúrgicas propias del Obispo de Roma

El Concilio Vaticano Segundo significó un regreso a la tradición bíblica y a las enseñanzas de los Santos

Liturgy, 21). To that end, the council emphasized the liturgy as the celebration of the mystery of Christ and the church, "through sensible signs" and "through rites and prayers." This has led to a rediscovery, especially in recent years, of the importance of signs and gestures as a form of nonformal communication in the liturgy.

Among the sensible signs are sacred vestments and insignia, which are an outward manifestation of the diversity of ministries that constitute the church, the mystical body of Christ. This exhibition includes vestments and insignia worn by the Roman pontiffs at liturgical celebrations. It might be helpful to explain a few of these, which are outstanding for their antiquity and their ecclesial significance.

The Miter and the Tiara

For centuries the miter (Fig. 3) and the tiara have been the headdress worn by the pope in liturgical celebrations. The first known use of the miter dates from the eleventh century, during the pontificate of Pope Leo IX. Previously, bishops had not worn any liturgical headdress, but by the second half of the twelfth century, the miter was widely used by all bishops. It is likely that, as in the case of other types of dress, the miter was based on an nonliturgical item, perhaps the headdress called the camelaucum or phrygium, worn by emperors and high officials, especially in the East, and which the pope had worn since the eighth century in solemn ceremonies outside of church and during processions. This exhibition includes three miters belonging to three popes.

The tiara, in the form represented in the exhibition, came into liturgical use at the beginning of the seventeenth century, under Pope Urban

Fig. 4
Pope Paul VI on the day of his solemn coronation as pope wearing the papal tiara

Papa Pablo VI el día de su solemne coronación como Papa, vistiendo la tiara papal

Padres, y abordó una preocupación pastoral fundamental, aquella de ayudar al fiel a entender mejor el significado de la celebración y a participar en ella a plenitud, activamente y en comunidad (Constitución de la Sagrada Liturgia, 21). Para lograrlo, el concilio enfatizó en la liturgia como la celebración del misterio de Cristo y de la iglesia "a través de signos sensibles" y "a través de rituales y oraciones". Esto ha llevado a un redescubrimiento, especialmente en años recientes, de la importancia de los signos y gestos como comunicación, formal e informal, durante la liturgia.

Entre los signos sensibles se encuentran las sagradas vestiduras e insignias o emblemas, manifestaciones externas de la diversidad de ministerios que constituyen la iglesia, cuerpo místico de Cristo. Esta exhibición incluye vestiduras e insignias usadas por los pontífices Romanos en celebraciones litúrgicas. Es importante explicar algunas de ellas que se destacan por su antigüedad y significado eclesiástico.

La mitra y la tiara

Por siglos, la mitra (Fig. 3) y la tiara, han sido las vestiduras usadas para cubrir la cabeza del Papa en celebraciones litúrgicas. El primer uso de mitra del que se tenga noticia data del siglo once, durante el pontificado del papa León IX. Anteriormente, los obispos no utilizaban nada en su cabeza durante las liturgias pero hacia la segunda mitad del siglo doce la mitra ya era usada regularmente por los obispos. Es posible que, como ocurre con otro tipo de vestuarios, la mitra haya estado inspirada en objetos no litúrgicos, quizás el camelaucum o phrygium que usaban emperadores y altos oficiales en oriente, y que el Papa usaba para ceremonias solemnes fuera de la iglesia y durante las procesiones.

VIII. This headdress was associated with the coronation of the newly elected pope (Fig. 4). With its three symbolic crowns, the tiara expressed the pope's power as described in the formula used for its imposition: Patrem Principum et Regum, Rectorem orbis, in terra Vicarium Salvatoris nostri Iesu Christi ("Father of Princes and Kings, Ruler of the World, Vicar on Earth of our Savior Jesus Christ"). For some, the three crowns symbolized the power of the Father, the wisdom of the Son, and the love of the Holy Spirit; for others, the three theological virtues.

Pope Paul VI was the last to be crowned with the tiara. He renounced this symbol of power to better emphasize the "service" that the successor of Peter is called to render in following the example of Jesus, who "came not to be served but to serve, and to give his life as a ransom for many" (Mt 20:28). In 1964, at the pope's request, the tiara was sold and the proceeds given to the poor. Today, Pope Paul's tiara is housed in the Basilica of the Immaculate Conception in Washington, D.C. Under Pope John Paul I the rite of papal coronation was modified to the "Inauguration of the Ministry of Supreme Pastor." From then on, the bishop of Rome has worn only the miter, the traditional headdress of all bishops, to underscore the relationship of communion and unity linking the successor of Peter to the Episcopal College.

Tiaras belonging to two nineteenth and twentieth-century popes are on view here, the most important being that of Pius VII. Not only is it the oldest of the two, but it is linked to the troubled history of the papacy during the Napoleonic period.

The Pallium

The pallium, the history and meaning of which are not widely known, is the most ancient and characteristic emblem of the bishop of Rome. It consists of a simple band of white wool, several

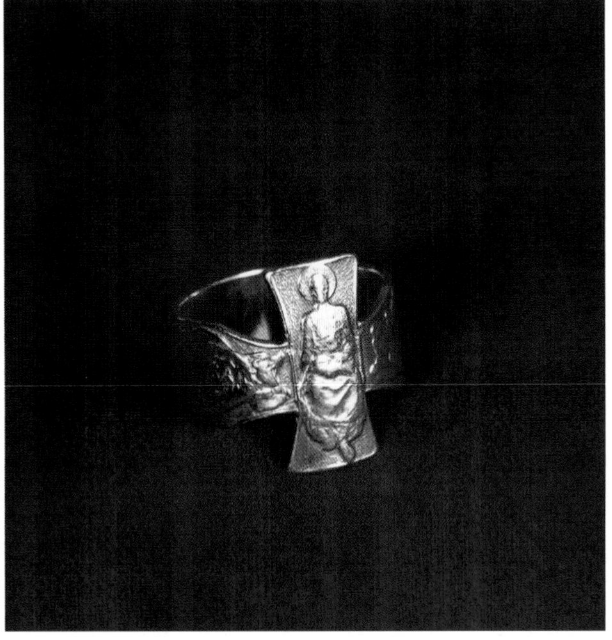

Fig. 5
Ring of Pope John Paul II

Anillo del Papa Juan Pablo II

Esta exhibición incluye tres mitras que pertenecieron a tres papas.

La tiara, de la forma en que es presentada en esta exhibición, se convirtió en objeto litúrgico al inicio del siglo diecisiete, con el Papa Urbano VIII. Esta prenda fue asociada con la coronación del Papa recién elegido (Fig. 4). Con sus tres coronas simbólicas, la Tiara expresaba el poder del Papa descrito en la fórmula usada durante su imposición: Patrem Principum et Regum, Rectorem orbis, in terra Vicarium Salvatoris nostri Iesu Christi ("Padre de príncipes y reyes, soberano del mundo, vicario de nuestro salvador Jesucristo"). Para algunos, las tres coronas simbolizaban el poder del padre, la sabiduría del hijo y el amor del Espíritu Santo; para otros, representan las tres virtudes teológicas.

El Papa Pablo VI fue el último en ser coronado con la tiara. Renunció a este símbolo de poder para mejor hacer énfasis en el "servicio" que debe ofrecer el sucesor de Pedro al seguir el ejemplo de Jesús quien "vino a servir y no a ser servido y a ofrecer su vida como redención para todos" (Mt 20:28). En 1964, por petición del Papa, la Tiara fue vendida y sus ganancias repartidas a los pobres. La Tiara de Pablo está hoy día en la Basílica de la Inmaculada Concepción en Washington D.C. Durante el Papado de Juan Pablo I el ritual de coronación papal fue convertido en "Inauguración del Ministerio del Sumo Pastor". Desde entonces, el obispo de Roma ha vestido la mitra, el gorro tradicional de todos los obispos, para subrayar la relación de comunión y unidad que vincula al sucesor de Pedro con el Colegio Episcopal.

Las tiaras pertenecientes a dos Papas de los siglos diecinueve y veinte están exhibidas, aquí, siendo la más importante la de Pío VII. No sólo es la más antigua, sino que está ligada al difícil papado durante el período napoleónico.

centimeters wide, which is placed over the chasuble. The band is adorned with black crosses and three pins.

Use of the pallium in the West, first mentioned in 336 in connection with Saint Mark, was reserved for the Roman pontiff, upon whom it was imposed, at least from the sixth century onward, during the rite of episcopal ordination. For several centuries it remained the distinctive sign of the office and authority of the pope. This office or "munus" was presented in relation to the apostle Peter, and the grant of the pallium was always accompanied by the words "de corpore beati Petri sumptum." Eventually the pope granted the pallium to other bishops. Numerous grants were made during the pontificate of Gregory the Great, in the sixth century, and during the Carolingian period several synods decreed that all metropolitans were to seek the pallium from the Roman pontiff. Despite these grants, it was always clear that the bishop of Rome alone had the original right to wear it, whereas other bishops merely received it as a privilege.

Over the centuries the pallium took on a rich liturgical and theological symbolism. At first it had a fundamentally ecclesiological meaning. This was reflected in the most ancient form of the insignia, which can also be seen in the sixth-century mosaics of Sant'Apollinare in Classe in Ravenna or in those of such Roman basilicas as Santa Cecilia, the apse of which contains a portrait of Pope Paschal I (Fig. 1). The two bands of the pallium, woven of wool, were draped around the neck to fall from the left shoulder to signify the sheep carried by the Good Shepherd. In ancient iconography, carrying the sheep on the left was typical of the Christian pastor. In addition, the pallium was always decorated by several black crosses, symbolic of the flock; the most ancient mosaics always represent the sheep surrounding Christ with black stripes (G 30:40).

From the eleventh century onward, the pallium changed shape and took on a christological meaning. The insignia took the form of a Tau, and thus a cross, and the two bands now fell from the center in front of and behind the celebrant. The four crosses were frequently red and always accompanied by three large pins. From its earlier ecclesiological meaning (the flock and

El Palio (o toga papal)

El palio, cuya historia y significado no son muy conocidos, es el emblema más antiguo y característico del obispo de Roma. Consiste en una simple banda de lana blanca de varios centímetros de ancho, que es colocada sobre la casulla (similar a la sotana). La banda está adornada con cruces negras y tres broches.

El uso del palio en occidente, mencionado primero en 336 en conexión con San Marcos, estaba reservado para el pontífice romano sobre quien era impuesto hacia adelante, al menos desde el siglo sexto, durante el ritual de la ordenación episcopal. Por varios siglos se conservó como signo distintivo del oficio y autoridad del Papa. Este oficio o "tributo" (munus), era presentado en relación con el apóstol Pedro y al ofrecerse el palio, siempre se decían las palabras "de corpore beati Petri sumptum". Eventualmente el Papa permitió el uso del palio a otros obispos. Numerosas concesiones se hicieron durante el pontificado de Gregorio el Grande en el siglo sexto, y durante el período carolingio, los sínodos (o concilios de obispos) decretaron que todos los primados de las provincias eclesiásticas obtuvieran el palio del pontífice Romano. A pesar de estas concesiones fue siempre claro que sólo el obispo de Roma tenía el derecho original de usarlo, mientras otros obispos los recibían como un privilegio.

A través de los siglos, el palio adquirió un profundo simbolismo litúrgico y teológico. Primero, tuvo un significado fundamentalmente eclesiástico. Esto se ve reflejado en la mayoría de las antiguas formas del emblema, las cuales pueden apreciarse también en mosaicos de Sant'Apollinare en Classe, en Rabean, del siglo sexto, o en lugares como la basílica romana de Santa Cecilia cuyo ápside contenía un retrato del Papa Pascual I (Fig. 1). Las dos bandas del palio, tejidas de lana, rodeaban el cuello para caer sobre el hombro izquierdo representando la oveja cargada por el buen pastor. En la iconografía antigua, cargar la oveja Al lado izquierdo era típico del pastor cristianoAdicionalmente,elpalioestaba siempre decorado con numerosas cruces negras, simbolizando el rebaño. Los mosaicos más antiguos

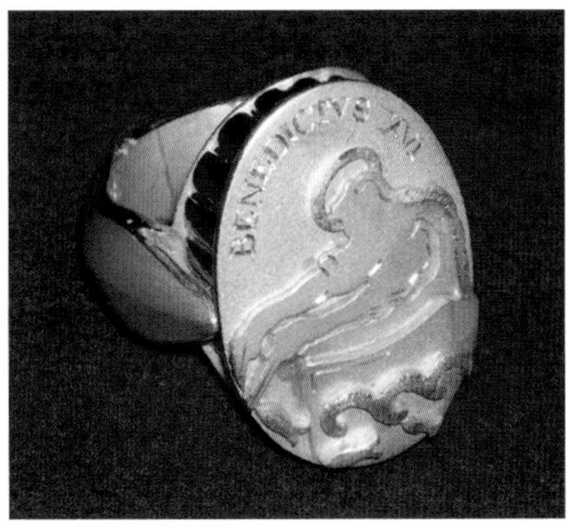

Fig. 6
Fisherman's ring of Pope Benedict XVI

Anillo del Pescador de Benedicto XVI

its shepherd), the cross-shaped pallium thus came to refer specifically to Christ: the red crosses represent his wounds, and the three pins symbolize the nails of the Crucifixion, in accordance with Western tradition.

Several centuries later, when the size of the chasuble was reduced and its form curtailed, the pallium also became smaller, taking the shape still seen today. In the wake of the liturgical reform promoted by the Second Vatican Council, the chasuble, the vestment of the celebrant, returned to its original size and shape, whereas the pallium kept its Renaissance form. From a desire to restore visibility to the insignia and better to illustrate its meaning, the Office of Liturgical Celebrations of the Supreme Pontiff proposed a modification of the pallium. At the celebration of Christmas Midnight Mass for the opening of the Great Jubilee of the Year 2000, the pope wore a larger and more visible pallium decorated with red crosses. The form restored the Tau shape and thus expressed, above all, its christological meaning. A further modification seems in order, one which would bring the pallium closer to its ancient form and symbolism (the sheep carried on the left shoulder), while keeping the red crosses and the pins (the shepherd who gives his life for his sheep). The pallium, given a new form and solemnly consigned to the new pope at the inauguration of his papal ministry, could once more become a powerful sign of the distinctive office of the Roman pontiff.

The Ring

Among other pontifical insignia, the ring is an important symbol of the episcopal ministry. It is given during the rite of ordination and must always be worn: "anulus... ab Episcopo semper deferatur" (Caeremoniale Episcoporum, 58). The ring has a particular history and meaning, both anthropologically and biblically (cf. Est 8:8; Gn 41:40-42; Lk 15:22). Judging from the testimony of Bishop Optatus of Milevis, by the end of the fourth century bishops likely wore an "anulus episcopalis" that they had received in the rite of ordination. The first certain testimonies to a liturgical rite of consigning such a ring come from the first half of the seventh century in Spain (cf. IV Council of Toledo: 633; Saint Isidore: 560-636). Two centuries later, at the time of Emperor Charles II "the Bald" and Pope Nicholas I, this practice is also attested in the Frankish ritual.

siempre representaban a la oveja con líneas negras rodeando a Cristo (Gn 30:40).

A partir del siglo once, el palio cambió y tomó un significado cristianizado. El emblema adquirió la forma de la letra griega Tau, a la manera de una cruz, así que ahora las dos bandas caían desde el centro, en frente y detrás del celebrante. Las cuatro cruces eran rojas a menudo y siempre estaban acompañadas por tres grandes broches. Desde su significado eclesiástico inicial (el rebaño y su pastor), el palio en forma de cruz empezó así a referirse específicamente a Cristo: las cruces rojas representan sus heridas y los tres broches los clavos de la crucifixión, más acorde con la tradición occidental.

Varios siglos después, cuando el tamaño de la casulla (o sotana) se redujo a su forma acortada, el palio también se redujo, tomando la forma que conocemos hoy día. A consecuencia de las reformas de la liturgia promulgadas durante el Concilio Vaticano Segundo, la casulla, como vestuario del celebrante, regresó a su forma y tamaño originales, mientras el palio conservó su tamaño del renacimiento. Con el deseo de hacer el emblema nuevamente más visible e ilustrar mejor su significado, el Oficio de Celebraciones Litúrgicas del Sumo Pontífice propuso una modificación del palio. Durante la celebración de la misa de Medianoche en Navidad, para inaugurar en 2000 el Gran Año del Jubileo, el Papa usó un palio más largo y visible, decorado con tres cruces rojas. La forma, otra vez a la manera de Tau, expresaba así su significado cristiano, aunque con una modificación adicional que parecía necesaria, una que acerca el palio a su forma antigua y simbolismo original (la oveja cargada sobre el hombro izquierdo) pero conservando las tres cruces rojas y los broches (el pastor que dio la vida por sus ovejas). El palio, con su nueva forma y la solemnidad depositada en el nuevo Papa durante la inauguración de su ministerio pudo, una vez más, convertirse en un poderoso símbolo del oficio del pontificio romano.

El anillo

Entre otros emblemas pontificios, el anillo es un símbolo importante del ministerio episcopal. Es recibido durante el ritual de ordenación y debe ser usado siempre: "anulus... ab Episcopo semper deferatur" (Caeremoniale Episcoporum, 58). El anillo tiene una historia y un sentido particular, que a la vez es antropológico y bíblico (cf. Est 8:8; Gn 41:40-42; Lk 15:22). A juzgar por el testimonio

In its earliest use, the ring served as a seal and its introduction was probably motivated less by symbolic than by practical reasons. The ring enabled bishops to authenticate their own acts, a frequent custom in ancient times.

By the time of episcopal feudalism, the ring had lost its original meaning and increasingly came to be associated with temporal power. With the church's victory in the Investiture Controversy, the ring took on a new, nuptial meaning, based on its use in the rite of matrimony. The episcopal ring symbolized the union of Christ and the church: the bishop, following the example of Christ, was considered wedded to the church entrusted to him. The new symbolism led also to a change in style, and in place of the seal it now featured a precious stone: "In episcopi digito geminatus fulget anulus" (G. Durand, Rationale divinorum officiorum, book 3, ch. 14); "Anulus pontificalis... ornatur unica gemma pretiosa vel quasi pretiosa" (Introductio in Caerimoniale Episcoporum, 1956 ed.).

The postconciliar liturgical reforms after 1965 preserved the nuptial association of the ring: "Anulus, insigne fidei et coniunctionis nuptialis cum Ecclesia, sponsa sua, ab Episcopo semper deferatur" (Caerimoniale Episcoporum, 1984 ed., no. 58). It no longer retained its function as a seal, much less that of a sign of authority or honor, and the precious stone generally has been abandoned. The rings of recent popes - Paul VI, John Paul I, and John Paul II (Fig. 5) - are examples of the simpler form deemed more expressive of the episcopal office.

The "Fisherman's Ring"

The exhibition also includes the fisherman's ring of Pope Benedict XVI (Fig. 6). In its present form, this ring is a kind of stamp bearing the name of the pope and the figure of Peter casting nets. This was originally a ring with which the popes set their seal upon documents. Some, such as that of Pope Clement IV, date from the Middle Ages. Only in the middle of the nineteenth century did the fisherman's ring lose its shape and take its present form. Today the ring has fallen into disuse.

The pope's ring is no different from that of other bishops. John Paul II, for example, wore the ring he received from Pope Paul VI, on June 26, 1967, in the consistory in which he was made a cardinal. It seems appropriate, therefore, that the pope's ring, while maintaining the

del obispo Optato de Milevis, a finales del siglo cuarto los obispos muy probablemente usaban un "anulus episcopalis" que habían recibido durante la ordenación. Los primeros testimonios reales acerca del rito litúrgico de encomendar dicho anillo llega de la primera mitad del siglo séptimo en España (cf. IV Concilio de Toledo: 633; San Isidro: 560-636). Dos siglos más tarde, en tiempos del emperador Carlos II "el calvo" y el Papa Nicolás I, se confirma esta práctica en el ritual Frankish (de los Francos, en Alemania). En su uso inicial, el anillo servía como sello y su introducción fue motivada probablemente más por una necesidad práctica, que simbólica. El anillo permitía a los obispos autenticar sus propios edictos, una costumbre frecuente en tiempos antiguos.

Durante el feudalismo episcopal, el anillo había perdido su significado original y empezó a asociarse cada vez más con el poder temporal. Con el triunfo de la iglesia durante la Querella de las Investiduras, el anillo tomó un nuevo sentido nupcial, basado en el ritual del matrimonio. El anillo episcopal simbolizaba la unión de Cristo y la Iglesia: el obispo, quien siguiendo el ejemplo de Cristo, estaba ligado a la iglesia que le había sido confiada. El nuevo simbolismo llevó a un cambio en estilo y en el lugar del sello estaba una piedra preciosa: "In episcopi digito geminatus fulget anulus" (G. Durand, Rationale divinorum officiorum, libro 3, ca. 14); "Anulus pontificalis... ornatur unica gemma pretiosa vel quasi pretiosa" (Introductio in Caerimoniale Episcoporum, 1956 ed.).

Las reformas litúrgicas después de 1965 preservaron la asociación nupcial del anillo: "Anulus, insigne fidei et coniunctionis nuptialis cum Ecclesia, sponsa sua, ab Episcopo semper deferatur" (Caerimoniale Episcoporum, 1984 ed., no. 58). Ya no cumplía con su función de sello y mucho menos como signo de autoridad u honor, y la piedra preciosa había dejado de usarse. Los anillos de Papas recientes – Pablo VI, Juan Pablo I y Juan Pablo II (Fig. 5) – son ejemplos de la forma sencilla, considerada más adecuada para el oficio episcopal.

El "anillo del pescador"

La exhibición también incluye el "anillo del pescador" del Papa Benedicto XVI (Fig. 6). En su forma presente, el anillo tiene una forma de estampilla con el nombre del Papa y la figura de Pedro extendiendo las redes. Así fue originalmente el anillo con el que los Papas sellaban sus documentos. Algunos, como el del Papa Clemente IV,

form and simplicity of other episcopal rings, should have a distinctive character to indicate that its wearer is the successor of Peter. The fisherman's ring has been reinstated as a powerful sign of his office. Like the pallium, it was given to the new pope at the celebration marking the beginning of his pontificate.

The Pastoral Staff

Pastoral staffs are common to all bishops. Like the ring, the staff has its own meaning both anthropologically and biblically (cf. Ex 4:17; Ps 23:4. Church Fathers such as Origen and Augustine also link the staff of Moses to the Cross of Christ).

The origin of the staff in the liturgical context is unclear, but it is probably of Eastern derivation. The staff was likely introduced in Constantinople by the emperor, who presented it to the patriarch. Later, it became one of the insignia used in episcopal ordinations. In the West, the staff was first used in monastic settings. Originally, the staff was part of the monk's equipment: it was considered his traveling companion and a sign of Christ's cross. In the seventh and eighth centuries, the staff was used by abbots in both Gaul and the British Isles. The earliest evidence of a liturgical rite for the consignment of the staff to the bishop is from the seventh century and, as in the case of the ring, comes from Spain (cf. IV Council of Toledo: 633, can. 28). Two centuries later, the staff was commonly used by bishops of Gaul. Only in the thirteenth century, in the Pontificale of Guillaume Durand, bishop of Mende, did the staff become commonly used in the more important liturgical celebrations at which the bishop presided. Over the centuries, the staff has always retained its ancient meaning as a sign of authority, governance, and leadership.

Although the popes adopted the ring from the Hispanic and Gallican liturgies, they

datan de la edad media. Sólo hasta mediados del siglo diecinueve el anillo del pescador adquirió su forma actual. Hoy día el anillo no se usa.

El anillo del Papa no es diferente al de otros obispos. Juan Pablo II, por ejemplo, usó el anillo que recibió del Papa Pablo VI, el 26 de junio de 1967, durante el consistorio en que fue ordenado cardenal. Parece apropiado, por lo tanto, que el anillo del Papa, aunque mantenga la forma y simpleza de otros anillos episcopales, debería tener una característica distintiva para indicar que es usado por el sucesor de Pedro. El anillo del Pescador fue reinstaurado como signo del poder de su cargo. Ingual que el palio, es entregado al nuevo Papa durante la celebración del inicio de su pontificado.

El báculo pastoral

Los báculos pastorales son comunes en todos los obispos. Como el anillo, el báculo tiene su propio significado, tanto antropológico como bíblico (cf. Ex 4:17; PS 23:4). Padres de la iglesia como Orígenes y Agustino también vinculan el báculo de Moisés a la cruz de Cristo.

El origen del báculo en el contexto litúrgico no está del todo claro pero es probable que venga de oriente. El báculo fue probablemente introducido en Constantinopla por el emperador quien lo presentó al patriarca. Más adelante se convirtió en emblema usado en las ordenaciones episcopales. En occidente, el báculo fue usado primero en ambientes monásticos. Originalmente el báculo formaba parte del equipamiento de los monjes: era considerado su compañero de viaje y un signo de la cruz de Cristo. En los siglos séptimo y octavo el báculo lo usaban los abades en las islas gaula y británica. Las primeras evidencias de un ritual litúrgico para la entrega del báculo al obispo, provienen del siglo séptimo y, como en el caso del anillo,

Fig. 7
Pope John Paul II with the pallium and his pastoral staff

Papa Juan Pablo II con el palio y su báculo pastoral

never adopted the staff. They had their own traditional mark of office, namely, the ferula, a rod mounted by a cross. The pastoral staff did not, therefore, become part of the papal liturgy, because at the time its use had become more widespread the popes already had a similar distinguishing mark of their own. Moreover, the staff had become the sign of a subordinate authority received from another, indicated according to some by its curved crook; therefore it could not be accepted by the pope: "Romanus vero Pontifex, quia potestatem a solo Deo accipit, baculum non habet" (G. Durand, Rationale divinorum officiorum, book 3, ch. 15). The ferula, like the staff, was a sign of authority, jurisdiction, and governance, yet it was never consigned during the rite of ordination or the coronation of the pope. Normally the ferula was bestowed when the new pope took possession of the Basilica of Saint John Lateran, and, with rare exceptions, it was used outside of liturgical settings. Beginning with Pope Paul VI, the ferula has been revived for liturgical use. Since then, during their liturgical celebrations the popes have used a pastoral staff in the form of a cross, which recalls the ancient ferula.

Two pastoral staffs – one from the nineteenth century and one used by John Paul II – are in the exhibition. The one of John Paul II is a reproduction of that used by Pope Paul VI (Fig. 7). It is now recognized throughout the world, thanks in part to the media, as one of the distinctive signs of the Roman pontiff.

The vestments and episcopal insignia in this exhibition should not be admired merely for their splendor and artistic beauty. These liturgical objects are designed to manifest the sacred character of the celebration. They are part of the "signa sensibilia" of the liturgy and are intended to awaken an awareness of the invisible presence of the mystery being celebrated. The sacred vestments and insignia are also a manifestation of the church in the variety of her

Fig. 8
Depiction of the church as the vessel of salvation. Detail of chasuble of Pope Pius XI

Representación de la iglesia como vehículo de salvación. Detalle de la casulla del Papa Pío XI

vienen de España (cf. IV Concilio de Toledo: 633, can. 28). Dos siglos más tarde, el báculo fue usado comúnmente por obispos en Gaula. Sólo en el siglo trece, durante el pontificado de Guillaume Durand, obispo de Mende, el báculo empezó a usarse en las celebraciones litúrgicas más importantes presididas por el obispo. A través de los siglos el báculo ha conservado su antiguo significado de autoridad, gobierno y liderazgo.

Aunque los Papas adoptaron el anillo de las liturgias Hispánicas y Galicas, nunca adoptaron el báculo. Los Papas tenían su propia marca tradicional de oficio, conocido como la férula – una vara con cruz. El báculo pastoral no se convirtió en parte de la liturgia papal pues, si bien en ese entonces su uso se había vuelto más común, los Papas tenían ya un símbolo similar que les identificaba. Más aún, el báculo se había convertido de signo de subordinado, de haber sido recibido por un superior, hecho indicado según algunos por su curvatura en la parte superior, por lo tanto no podía ser aceptada por el Papa: "Romanus vero Pontifex, quia potestatem a solo Deo accipit, baculum non habet" (G. Durand, Rationale divinorum officiorum, libro 3, ca. 15). La férula, como el báculo, era signo de autoridad, jurisdicción, y gobierno, aunque nunca fue considerado durante el ritual de ordenación o coronación del papa. Normalmente la férula se otorgaba cuando el nuevo Papa tomaba posesión de la Basílica de San Juan Letrán y en raras ocasiones era usado fuera de ceremonias litúrgicas. A partir del Papa Pablo VI, la férula ha sido revivida para el uso litúrgico. Desde entonces, durante las celebraciones litúrgicas, los Papas usan un báculo pastoral, en forma de cruz con en tiempos antiguos.

Dos báculos pastorales – uno el siglo diecinueve y uno usado por el Papa Juan Pablo II – están en exhibición. El de Juan Pablo II es una reproducción del que usara Pablo VI (Fig. 7). Ahora es reconocido por todo el mundo, gracias en parte a los medios de comunicación, como uno de los signos distintivos de pontificio Romano.

offices and ministries (Fig. 8). In particular, the vestments and episcopal insignia used by the bishop of Rome bring out the distinctive "munus" or office of the successor of Peter, who is called to preside over the universal assembly in charity.

This introduction is meant to help visitors to the exhibition view the objects with greater interest and respect, and to see them as signs rich in history, signs pointing to the reality of faith and to the things of the spirit. It is my hope that the experience of visitors will not end once the exhibition closes. Thanks to the communications media, whenever they see the bishop of Rome vested in pallium and miter, wearing the ring and holding the pastoral cross, they will be able to see in these signs an invitation to grow in knowledge both of the papacy and of the mystery of the church in the world. May these signs be for everyone, believer and nonbeliever alike, an invitation to set out into the deep: Duc in altum!

Las vestiduras e insignias episcopales en esta exhibición no deben admirarse sólo por su esplendor y belleza artística. Estos objetos litúrgicos están diseñados para manifestar el carácter sagrado de la celebración. Forman parte de la "signa sensibilia" de la liturgia y pretenden despertar la conciencia de la presencia invisible de los misterios que se celebran. Las vestiduras sagradas y emblemas son también la manifestación de la iglesia en sus variados oficios y ministerios (Fig. 8). Las vestiduras y emblemas sagradas, particularmente las usadas por obispo de Roma, brindan el oficio o "tributo" (munus) del sucesor de Pedro, quien es llamado a presidir, con caridad, la asamblea universal.

Con esta introducción pretendemos ayudar a los visitantes de la exhibición a apreciar los objetos con mayor interés y respeto, y a verlos como señales ricas en historia, que apuntan hacia la realidad de la Fe y los asuntos del espíritu. Espero que la experiencia de los visitantes no termine una vez cierre la exhibición. Gracias a los medios de comunicación, donde sea que vean al obispo de Roma vistiendo su palio y mitra, usando su anillo y sosteniendo la cruz pastoral, vean en estos signos la invitación a crecer en conocimiento, tanto del papado como los misterios de la iglesia en el mundo. Que estos signos sean para todos, creyentes y no creyentes, una invitación para emprender un viaje aún más profundo: Duc in altum!

Death, Burial and Election of the Popes

Charles Hilken, F.S.C.

Cum autem senueris, extendes manus tuas, et alius te cinget, et ducet quo tu non vis. (When you grow old you will stretch out your hands, and somebody else will put a belt round you, and take you where you would rather not go, John 21:18).

Saint John preserved for us an intimate and very human moment in the friendship between Our Lord and Saint Peter. Jesus warned Peter that he would grow old and one day be led where he would not want to go. This, of course, was of small import in the face of the great commissioning in love (John 21: 15-17), confirmed around the glowing embers of the campfire at the sea of Galilee. Jesus made Peter's profession of love for Him a gentle but insistent call to serve the church. What did it matter how he would end his days? Yet almost forty years later, on the eve of his martyrdom, did Peter recall the dialogue by the lake? It is edifying to think that he did and that Jesus' words at the end of Saint John's Gospel are an echo from Peter at Rome. The apocryphal Acts of Peter preserve the story of Peter meeting Christ on the road as the one was fleeing Rome and the other entering the city to die once more for His church. Peter's decision at that moment to remain in Rome and risk his own life in order to serve the needs of the Christian community is another evocation the great charge that Jesus had given him by the lake.

The Petrine ministry is the source of legitimacy and the model for the papal ministry. The popes walk in the shoes of Peter, who followed Jesus in everything, and each remembers his own response to Jesus' call to serve his flock. It must be an added source of comfort and strength that the popes, most of them old men at their death, could think of Peter as old, like themselves, when he faced the moment of his death. Whether it is the warmth of a grandfatherly smile or the stern visage of the wise old judge, it is the face of an elderly man that we meet most often when we call to mind his holiness, the pope. The image is very much true to the historical record.

Muerte, entierro y Elección de los Papas

Hermano Charles Hilken, F.S.C

Cum autem senueris, extendes manus tuas, et alius te cinget, et ducet quo tu non vis. (Pero cuando seas viejo extenderás las manos y otro te vestirá, y te llevará adonde no quieras, Juan 21:18)

San Juan preservó para nosotros un momento bastante íntimo y humano de la amistad de Nuestro Señor y San Pedro. Jesús advirtió a Pedro que envejecería y un día sería llevado a donde no quería ir. Esto, claro, es sólo una pequeña muestra de la gran comisión de amor (Juan: 15-17) que iba a enfrentar, y que fuera confirmada alrededor de los leños ardientes en la hoguera frente al mar de Galilea. Jesús convirtió el amor que Pedro le profesaba en un amable pero insistente llamado para servir a la iglesia. ¿Qué importaba entonces la manera en que iban a terminar sus días? ¿Y aún 40 años después, en la víspera de su martirio, recordó Pedro el diálogo en el lago? Es edificante pensar que así fue y que las palabras de Jesús al final del Evangelio de San Juan se sienten como un eco de Pedro en Roma. Los Hechos apócrifos de Pedro conservan la historia del encuentro de Pedro con Jesús en la carretera mientras uno huía de Roma y el otro entraba a la ciudad para morir una vez más por Su Iglesia. La decisión de Pedro de permanecer en Roma y arriesgar su propia vida para satisfacer las necesidades de la comunidad Cristiana es otra evocación de la importante carga que le había dado Jesús frente al lago.

El ministerio de Pedro es modelo y fuente legítima del ministerio Papal. Los Papas siguen los pasos de Pedro, quien estuvo siempre con Jesús, y en cada uno recuerda su propia respuesta al llamado de Jesús para servir a sus seguidores. Seguramente ha sido una fuente adicional de consuelo y fortaleza para los Papas, casi todos hombres viejos al momento de su muerte, recordar a un Pedro envejecido, como ellos mismos, al momento de enfrentar su propia muerte. Bien sea la calidez de la sonrisa de un abuelo o el rostro curtido de un sabio juez, es el rostro de un hombre viejo que vemos a menudo cuando nos vuelve a la memoria su santidad, el Papa. La imagen es muy cercana al registro histórico. La Iglesia generalmente

The church usually elects a man who has demonstrated his leadership over many years. Pope Gregory the Great considered fifty to be a good age to take up leadership in the church. He borrowed an image from the book of Numbers (8: 24-26), where at the age of fifty the Levites begin to care for the vessels in the tent of meeting. Gregory saw that custom as prefiguring the ordination of priests, who are "the custodians of the vessels, since they become doctors of souls" (*Dialogues* 2, 2). And, so, the pontifical ministry is perforce relatively brief. The average span of service in the history of the papacy is little more than seven years. Of the twentieth-century popes, the youngest was fifty-eight; the average age at election, sixty-six; and the average reign, twelve years.

Popes die alone, without the comfort of family around them in their last moments. Their passing, like their years of service, is a kind of martyrdom, or persistent confession of faith in the promises of Christ. Modern popes live according to the rigorous demands of their public ministry, keep to a regular personal regime of prayer and liturgy, and die in remarkably simple surroundings within the sixteenth-century papal palace. Even in death, popes lead the faithful by example in their following of Jesus along the road to Calvary. One contemporary scholar has argued recently that the medieval papacy deliberated cultivated symbols and rituals that reminded both pope and church of the transience and fragility of papal lives in order to make even more apparent God's hand in the maintenance of the papal office. Many of such symbols and rituals have lapsed. For example, the body of the deceased pope is no longer set out for display, unclothed and unattended, a practice noted by the Franciscan friar Salimbene in the thirteenth century (*The Chronicle*, pp. 425-26). Nor does a minor cleric go before the new pope on the day of his elevation, holding burning rags and saying "sic transit gloria mundi" (so passes worldly glory), as a reminder of the new pope's mortality.

Papal funerals today have a simple yet solemn dignity. They communicate the surpassing worth of the human person, the great dignity to be found in death, and, of course, the promises of the faith. The papal funeral rite is contained within the *Ordo exsequiarum romani pontificis* (2000). The prayers and rubrics for burying the pope are consistent with the general rite of Christian burial, with the added

elige a un hombre que ha demostrado liderazgo en la iglesia durante muchos años. El Papa Gregorio El Grande consideraba que 50 años era la edad adecuada para tomar el liderazgo de la iglesia. Tomó una descripción del libro Números (8: 24-26), donde se cuenta que a la edad de 50 años los Levitas empezaban a cuidar de las vasijas en la tienda de los consejos. Gregorio consideró esta costumbre como la previa selección de los sacerdotes, quienes son "los guardianes de las vasijas, al convertirse en doctores de almas" (*Diálogos* 2,2). Y así, el Ministerio Pontificio es relativamente breve. La duración promedio de servicio en la historia de los papados es poco menos de siete años. De los Papas del siglo 20, el más joven tenía 58 años, la edad promedio de elección fue 66 años y 12 años el promedio de pontificado.

Los Papas mueren solos, sin el consuelo de su familia en los últimos momentos. Su muerte, así como sus años de servicio, son una especie de martirio o permanente confesión de Fe en la promesa de Cristo. Los Papas modernos viven de acuerdo con las demandas rigurosas de su ministerio público, mantienen un constante régimen de oraciones y liturgias, y mueren rodeados de austeridad dentro del Palacio Papal del siglo 16. Aún en muerte, los Papas lideran a los fieles a través de su ejemplo, siguiendo a Jesús a lo largo del camino hacia el calvario. Un estudioso contemporáneo aseguró recientemente que los papados medievales cultivaban deliberadamente símbolos y rituales que recordaban, tanto al Papa como a la iglesia, la trascendencia y fragilidad de la vida papal, para hacer más aparente la mano de Dios en la conservación del oficio pontífice. Muchos de estos símbolos y rituales se han conservado. Por ejemplo, el cuerpo del Papa fallecido no es enseñado y se deja desvestido y desatendido, una practica señalada por el fraile franciscano Salinbene en el siglo 13 (La Crónica, pp 425-26). De la misma manera, durante el día de la elevación del nuevo Papa un sencillo clérigo sostiene antorchas encendidas diciendo "*sic transit gloria mundi*" (que pase la gloria terrenal), como un recordatorio de la mortalidad del nuevo Papa.

Los funerales del Papa, siguen siendo simples pero a la vez solemnes. Muestran el valor y trascendencia de la persona humana, la gran dignidad que se encuentra en la muerte y, por su puesto, las promesas de la Fe. El rito del funeral papal esta incluido en el *Ordo exsequiarum romani pontificis* (2000). Las oraciones y rúbricas para enterrar al Papa son similares al rito general de los entierros Cristianos, con la adición del llamado a los Cristianos en todo el mundo para orar por la Iglesia Universal.

Fig. 1
The Sistine Chapel prepared for the election of Pope Benedict XV, 1914

La Capilla Sixtina preparada para la elección del Papa Benedicto XV, 1914

call to Christians everywhere to prayerful recollection of the universal church.

Upon word of the pope's death, the cardinal camerlengo certifies the death by means of a medical examiner. (As recently as 1903, at the passing of Pope Leo XIII, the camerlengo himself verified death by striking the head of the corpse with a hammer. With this same hammer, the camerlengo would smash the pope's ring, thereby signaling the end of the pope's authority.) The body is then dressed in red liturgical garments and miter, and moved to the audience hall for viewing by the papal household. The cardinals present offer a prayer which states, in part, "Lord, we humbly commend to you your servant our pope, whom you accompanied always with immense love. May you now command that he enter into eternal peace, freed from every evil" (*Ordo exsequiarum*, 46). In the funeral rite published by Pope Paul VI in 1978, a series of readings follows, among them a passage from the dogmatic constitution on the church in the modern world, *Gaudium* et *Spes* (18, 22), which extends the hope

Al saberse la muerte del Papa, el cardenal camarlengo (o cabeza provisional de la iglesia) certifica la muerte con la participación de un examinador médico (incluso en 1903, a la muerte del papa León XIII el mismo camarlengo verificó su muerte golpeando con un martillo la cabeza del cuerpo sin vida. Con el mismo martillo el camarlengo debe aplastarle el anillo señalizando así el final de la autoridad del Papa. El cuerpo es entonces vestido con prendas litúrgicas rojas y una mitra para luego trasladarlo al pasillo de la audiencia donde lo verá la servidumbre papal. Los cardinales ofrecen una oración que dice en parte "Señor, humildemente te encomendamos a tu sirviente, nuestro Papa, a quien has acompañado siempre con inmenso amor. Permite que entre en tu paz eterna liberado de todo mal" (*Ordo exsequiarum*, 46). En el rito funerario publicado por el papa Pablo VI en 1978, siguen una serie de lecturas entre ellas un pasaje tomado de la constitución dogmática acerca de la iglesia en el mundo moderno, *Gaudium* et *Spes* (18, 22), que extiende la esperanza de salvación a todos, tanto Cristianos como no Cristianos. "[La vida eterna] es válida no sólo para los fieles de Cristo sino para todos los hombres y mujeres de buena voluntad en cuyo corazón la gracia trabaja de

of salvation to all, Christians and non-Christians alike. "[Eternal life] is valid not only for the faithful of Christ, but also for all men and women of good will in whose heart grace is working in an invisible manner" (*Ordo exsequiarum summi pontificis vita functi*, 11).

The body is then carried in a formal procession to the basilica of Saint Peter. At the entrance, cantors sing a litany of the saints, including Mary, the apostles, popes, fathers and doctors of the church, missionaries, pastors, and men and women dear to the church at Rome, and prayers are recited to ask God to relieve the world of its many ills, plague, hunger, and war, and to bestow upon all people peace and true concord. Given the international ministry of the papal office, the very public-minded intentions of the funeral rite for the pope are not surprising. The theme of world unity was greatly promoted by Pope John Paul II, just as it was at the beginning of the last century by Pope Leo XIII, whose epitaph at the Lateran basilica attests to the international respect he had been given: *Ad patriam fili ex omni regione veneraturi conveniunt. Ecclesia ingemuit complorante orbe universo* (Sons come home from every region to give reverence. The church moaned when all the world mourned).

Throughout the prayers and readings are moments of recollection for the church and the world, and all are invited to remember our common humanity and our common ideals of renewal, justice, peace, fraternity, and liberty. Universal redemption and the divine commissioning of the Petrine office are the themes of the biblical readings at the funeral mass. The readings from Isaiah, Paul's Letter to the Philippians, and The Gospel of John tell of the abolition of death, the transformation of our bodies, and the risen Christ's three-fold question to Peter about love. The message of church unity is struck at the final blessing and commendation of the body when a patriarch of the Eastern church offers a supplication for the pope, who then is remembered as vicar of Peter and pastor of the church.

The body is buried in the crypt, near the Tomb of the Apostle, in a private ceremony attended by a few select cardinals, canons of the basilica, and family relations of the pope. The burial and decoration of the tomb follow any instructions made by the late pontiff in his last will and testament. This is an ancient, but not universal, custom.

manera invisible" (*Ordo exsequiarum summi pontificis vita functi*, 11).

El cuerpo es entonces llevado en procesión formal a la basílica de San Pedro. A la entrada se escucha la letanía cantada a los santos, incluyendo María, los apóstoles, Papas, padres y doctores de la iglesia; misioneros, pastores y hombres y mujeres cercanos a la iglesia de Roma. Las oraciones son para pedir a Dios que libere al mundo de sus muchos males, plaga, hambre y guerra así como conceder paz y verdadera armonía para todos. Dado que el ministerio del oficio papal es internacional, no es sorpresa que sea público del rito funerario papal. El tema de la unidad mundial fue ampliamente promovido por el papa Juan Pablo II, de la misma manera que el papa León XII al inicio del siglo pasado, cuyo epitafio en la basílica de Letrán se refiere al respeto internacional que él mismo había ofrecido: *Ad patriam fili ex omni regione veneraturi conveniunt. Ecclesia ingemuit complorante orbe universo* (Hijos vienen de cada región para ofrecer reverencia. La iglesia también lamentó cuando todo el mundo lloró su muerte).

A través de las oraciones y lecturas hay momentos de evocación para la iglesia y el mundo, y todos son invitados a recordar nuestra humanidad común, así como nuestros ideales compartidos de renovación, justicia, paz, fraternidad y libertad. La redención universal y la comisión divina del oficio de Pedro son los temas de las lecturas bíblicas en la misa del funeral. Las lecturas de Isaías, las cartas de San Pablo a los Filipenses y el evangelio de Juan hablan de la abolición de la muerte, la transformación de nuestros cuerpos y la elevación, por triplicado, de las preguntas de Jesús a Pedro sobre el amor. El mensaje de la unidad de la iglesia es considerado al final de las bendiciones y alabanzas del cuerpo, cuando un patriarca de la iglesia oriental ofrece una súplica por el Papa quien es entonces recordado como vicario de Pedro y pastor de la Iglesia.

El cuerpo es enterrado en al cripta, cerca de la tumba de los apóstoles, en una ceremonia privada atendida por unos pocos Cardenales elegidos, clérigos de la basílica y allegados del papa. El entierro y las decoraciones de la tumba siguen las instrucciones especificadas del testamento del pontífice fallecido. Esta es una costumbre ancestral, pero no universal. Los papas han sido enterrados también en las catacumbas, en la iglesia de la Catedral de San Juan Letrán, en la Mayor de Santa María y otras iglesias dentro y fuera de Roma. Los dos últimos Papas

Fig. 2
Pope John XXIII blessing the crowds from the Loggia of Saint Peter's Basilica on the day of his coronation, 28 October, 1958

El Papa Juan XXIII dando la bendición a la multitud desde la Logia de la Basílica de San Pedro el día de su coronación el 28 de octubre de 1958

Popes have been buried also in the catacombs, at the cathedral church of Saint John Lateran, at Saint Mary Major, and other churches inside as well as outside the city of Rome. The last two popes buried away from Saint Peter's were Blessed Pope Pius IX, whose remains are at San Lorenzo fuori le mura, and Pope Leo XIII at the Lateran. There are fifty extant papal tombs or epitaphs at Saint Peter's, and historical records of another ninety-nine papal burials of which all physical remains have disappeared.

The funeral rites last nine days, and daily mass is celebrated for the repose of the soul. At the same time, preparations begin for the conclave to select the next pope. The papal election is carefully governed by the apostolic constitution. *Universi dominici gregis: On the Vacancy of the Apostolic See and the Election of the Roman Pontiff* (1996),

enterrados fuera de la Basílica de San Pedro fueron el Bendito Papa Pío IX, cuyos restos están en San Lorenzo fuori le mura y el papa León XIII en Letrán. Hay cincuenta tumbas papales o epitafios existentes en San Pedro y registros históricos de otros 99 entierros papales cuyos restos han desaparecido.

Los ritos funerales duran nueve días y se celebran misas diarias por el reposo del alma. Simultáneamente se realizan las preparaciones del cónclave para elegir al siguiente Papa. La elección Papal es gobernada cuidadosamente por la constitución apostólica *Universi dominici gregis*: Acerca de la Sede Apostólica y Elección para la Vacante del Pontificio Romano (1996), y los términos del *Ordo rituum conclavis* (2000) los cuales son el producto de casi dos mil, años de prácticas basadas en ensayo y error. De hecho, este proceso constituye con certeza la tradición electoral continua más antigua del mundo. El nuevo Papa

and the rubrics of the *Ordo rituum conclavis* (2000), which are the product of almost two thousand years of practice with much trial and error. Indeed, the process is surely the oldest continuous electoral tradition in the world. The new pope steps into a position which he has not sought and which, one can only imagine, he approaches with the some apprehension. (The vesting room for the newly elected pontiff is known as the "little room of tears"). The next pope will be the 264th successor to Peter as bishop of Rome, vicar of Christ, and pastor of the universal church. The election gives an added dimension to the significance for any pope of Jesus' final admonition to Peter that he will be taken where he would rather not go.

Popes are elected. The transition of institutional authority in the absence of a supreme authority or a natural right of succession can be determined either by election or by lot. The church of the Apostles in Jerusalem used the casting of lots to decide between Matthias and Barsabbas. Though historians argue cautiously that episcopal authority very gradually developed over the first century and a half after Saint Peter, the Roman church, it seems, always elected its leaders. The earliest historical records take for granted that the church, whether in its assembled priests, elders, or brethren, met to deliberate over and choose the next pope. Candidates emerge by virtue of their personal merits; they neither promote themselves nor are promoted, and are not taken from a pre-selected pool. Pope John Paul II, in his apostolic constitution on the election of a pope, gave a sense of the immediacy and openness of the election in his exhortation to the electors, who "having before their eyes solely the glory of God and the good of the church, and having prayed for the divine assistance, ... shall give their vote to the person, even outside the College of Cardinals, who in their judgment is most suited to govern the universal church in a fruitful and beneficial way" (*On the Vacancy of the Apostolic See*, 83).

The current process emerged during the first centuries of the second millennium. The eleventh-century popes, to safe-guard against venality, identified the cardinal bishops and cardinal clerics of Rome as the leading voices in electoral deliberations. These men were the chief liturgical and pastoral assistants in Rome. They became, in the eleventh-century papal reforms, the representative body of

asume una posición que no ha buscado y que, como es imaginable, enfrenta con cierta aprehensión (la habitación de investidura para el recién elegido pontífice se conoce como el "cuartito de las lágrimas"). El próximo Papa será el 264avo sucesor de Pedro como Obispo de Roma, Vicario de Cristo y pastor de la Iglesia Universal. La elección ofrece una dimensión adicional al significado que tiene para cada Papa la advertencia final de Jesús de ser llevado a donde él no quisiera ir.

Los papas son elegidos. La transición de la autoridad institucional, en ausencia de una autoridad suprema o de un derecho natural de sucesión, puede ser determinada por elección o por insaculación (al azar). La iglesia de los Apóstoles en Jerusalén usó este proceso de selección para decidir entre Matías y José hijo de Sabas. Aunque los historiadores argumentan con cautela que la autoridad episcopal se desarrolló gradualmente durante el primer siglo y medio después de San Pedro, aunque aparentemente la Iglesia de Roma siempre ha elegido a sus líderes. Los primeros registros históricos aseguran que la Iglesia, ya fuera con el grupo de sacerdotes, ancianos o hermanos, se reunían para deliberar y elegir al próximo Papa. Los candidatos surgen gracias a sus méritos personales. No se promueven a sí mismos, nadie los candidatiza, ni son tomados de un grupo preseleccionado. El Papa Juan Pablo II, en su constitución apostólica sobre la elección del Papa ofrece un sentido de la inmediatez y apertura de las elecciones a través de su exhortación a los electores quienes "teniendo ante sus ojos sólo la gracia de Dios, la bondad de la iglesia y la ayuda divina obtenida a través de la oración... darán su voto a la persona, aún fuera del Colegio Cardenalicio, que a su juicio es el más adecuado para gobernar la iglesia universal de una manera fructífera y beneficiosa" (*Acerca de la Sede Apostólica para la Vacante, 83*).

El proceso actual surgió durante los primeros siglos del segundo milenio. Los Papas del siglo once, para salvaguardarse contra la venalidad o el soborno, identificaban al obispo cardenal y a los clérigos cardenales de Roma como las voces líderes en las deliberaciones electorales. Estos individuos eran los jefes litúrgicos y asistentes pastorales en Roma. Se convirtieron, durante las reformas electorales del siglo once, en el cuerpo representan te de la Iglesia Romana para la elección de los Papas. Un siglo más tarde el Tercer Concilio de Letrán (1179) estableció que para la elección era necesaria una mayoría de dos tercios, creando así el cuerpo electoral exclusivo. La papeleta para votar secreta también se

the Roman church in the election of the popes. A century later, the Third Lateran Council (1179) established that a two-thirds majority of the cardinals was necessary for election, thereby creating an exclusive electoral body. The secret ballot also entered into common use at this same time. The Second Council of Lyons (1274) mandated that the cardinals deliberate behind locked doors. This kind of electoral meeting, known as a conclave, was modeled after practices in the new municipal governments of the Italian city-states. In subsequent centuries the papacy would refine the election to protect against abuse, outside interference, or prolonged delay.

One of the last major refinements of the electoral process was the abolition, a century ago, of the right of veto granted to the Catholic rulers of Europe. It had been an accepted practice for cardinals to represent their national churches and, therefore, to announce in conclave that a particular candidate would be an unwelcome choice back home. The principle was an ancient one that saw the state as a divinely ordained institution at work for the edification of the church. Emperors and kings were anointed ministers working in tandem with the bishops in the preservation and promotion of Christianity. The last exercise of the right of veto was in 1903, during the conclave after the death of Leo XIII. A cardinal speaking for Emperor Franz Joseph let it be known that the late Pope Leo's secretary-of-state, Cardinal Rampolla, would be unacceptable in the Empire due to his perceived bias against the Central European powers. Pope Pius X, during his first year in office, abolished the veto in the apostolic constitution, *De civili 'veto' seu 'exclusiva' uti vocant in electione summi pontificis* (1904). He argued that the veto impeded rather than corresponded to the votes of the electors and that changing times had made the influence of civil power in church affairs devoid of both reason and equity. The force and eloquence of the pope's arguments were all the greater given that he had been a participant and was elected in the conclave of 1903.

Pope John Paul was the fifth pontiff of the last century to reissue the rules for the conclave. Some major changes included the abolition of election by unanimous acclamation *quasi ex inspiratione* ("as if by inspiration") and the abolition, also, of election *per compromissum*, or arbitration by a small committee of electors in conclaves

volvió de uso común en esta época. El Segundo Concilio de Lion (1274) estableció que los cardinales deliberaran a puerta cerrada. Este tipo de reunión electoral, conocido como cónclave, fue moldeado siguiendo las prácticas de los nuevos gobiernos municipales de las ciudades-estado italianas. En los siglos siguientes el Papado refinaría la elección para protegerla de abusos, interferencia externa o demoras prolongadas.

Uno de los mayores refinamientos del proceso electoral fue la abolición, hace un siglo, del derecho al veto otorgado a los gobernantes europeos. Era práctica aceptaba que los cardenales representaran las iglesias de sus naciones y, por lo tanto, anunciaran en el cónclave que la preferencia de un candidato en particular no sería bienvenida en su país. Este viejo principio consideraba al estado como una institución inspirada por Dios trabajando para la edificación de la iglesia. Reyes y emperadores eran ministros consagrados trabajando en equipo con los obispos en la preservación y promoción del Cristianismo. La última vez que se ejerció el derecho al voto fue en 1903 durante el conclave que siguió a la muerte de León XIII. Un cardenal habló en nombre del emperador Franz Joseph y dejó saber que el Cardenal Rampolla, secretario de estado del Papa recién fallecido, sería inaceptable para el imperio debido a sus reconocidos prejuicios contra los gobiernos de Europa Central. El Papa Pío X, durante su primer año en ejercicio, abolió el veto en su Constitución Apostólica *De civili 'veto' seu 'exclusiva' uti vocant in electione summi pontificis* (1904). El pontífice argumentaba que el veto, más que corresponder a los votos de los electores, era un impedimento y que, con el tiempo, cambios como la influencia del poder civil en asuntos de la iglesia carecían de razón y equidad. La fuerza y elocuencia de sus argumentos fueron aún más significativas por el hecho de que, precisamente él mismo, había participado en ese cónclave de 1903 donde fue elegido Papa.

El papa Juan Pablo II fue el primer pontífice del siglo pasado en volver a publicar las reglas para el cónclave. Algunos cambios importantes incluyen la abolición de la elección por aclamación unánime *quasi ex inspiratione* (como por inspiración), así como la abolición de la elección *per compromissum* es decir por la mediación de un pequeño comité de electores en cónclaves donde no se ha logrado un acuerdo en más de dos semanas. El Papa argumentaba que la elección *per compromissum* carecía de la responsabilidad de los electores individuales. Otro cambio fue el uso del *Domus Sanctae Marthae* para albergar a los cardenales electores quienes ahora

where there has been almost two weeks of deadlock. Pope John Paul II reasoned that election *per compromissum* lessens the responsibility of the individual electors.Another change is the use of *Domus Sanctae Marthae* to house the cardinal electors, who will now commute daily to the Sistine Chapel, no longer under lock and key, but sworn to secrecy and out of communication with the world all the same. The daily commute ends the long practice of sealing the doors of the apostolic palace throughout the conclave. It is the end of an era that stretches back to the winter of 1272, when the laity locked the electors within the conclave hall, then removed the roof, and restricted the meals to bread and water, exposing the cardinals to cold and hunger until they could end a three year electoral impasse following the death of Clement IV.

There is a simple elegance about the election rubrics. No more than twenty days may pass after the death of the pope before the beginning of the election conclave. Every cardinal under eighty years of age at the time of the pope's passing is entitled to vote and must proceed, by virtue of obedience, to Vatican City. Pope Paul VI established that there can be no more than one hundred and twenty cardinal electors. (In the election of Pope Benedict XVI, one hundred and fifteen cardinal electors took part.) On the morning of the start of the conclave, the cardinals celebrate a solemn mass for the election in Saint Peter's. In the afternoon they gather in the Pauline Chapel of the Apostolic Palace and then process into the Sistine Chapel, site of all but five conclaves since the end of the fifteenth century (Fig. 1). Pope John Paul II's stated reason for continuing to use the Sistine Chapel was that there "everything is conducive to an awareness of the presence of God, in whose sight each person will one day be judged" (*On the Vacancy of the Apostolic See, introduction*), which is a lovely tribute to the artistic and religious genius of Michelangelo and his predecessors who designed and decorated the chapel.

The first afternoon is occupied with the swearing of oaths of perpetual secrecy and the reading of rules. Voting is done without speech or debate. Each cardinal receives a ballot and inscribes a name. Each approaches the altar, one by one, and drops his ballot into a urn, saying aloud the following oath: "I call as my witness Christ the Lord who will be my judge, that my vote is given to the

deben trasladarse diariamente a la Capilla Sixtina, ahora sin candado ni seguro, pero igualmente bajo juramento de guardar secreto y sin contacto alguno con el mundo exterior. El recorrido diario da fin a la vieja práctica de sellar las puertas del Palacio Apostólico durante el cónclave. Es el final de una era que se inició en el invierno de 1272 cuando el laicado encerró a los electores en el pasillo del cónclave, luego removió el techo y restringió las comidas a pan y agua exponiendo a los cardenales al frío y el hambre hasta que terminaran el proceso electoral de tres años que siguiera a la muerte de Clemente IV.

Hay algo de simple elegancia en las rúbricas electorales. No más de 20 días deben pasar después de la muerte de un Papa antes del inicio del cónclave electoral. Cada cardenal menor de ochenta años al momento de la muerte del Papa tiene derecho a votar y debe ir, en virtud a la obediencia, a la Ciudad del Vaticano. El papa Pablo VI estableció que no puede haber más de ciento veinte cardenales electores (en la elecciones del Papa Benedicto XVI participaron 115 cardenales). En la mañana cuando se inicia el cónclave los cardenales celebran en San Pedro una misa solemne por la elección. En la tarde se reúnen en la capilla Paulina del Palacio Apostólico y luego proceden a la Capilla Sixtina, lugar donde se han realizado todos, excepto cinco, cónclaves desde finales del siglo quince. (Fig. 1). El papa Juan Pablo II argumentaba que la razón para seguir usando la Capilla Sixtina era que "todo conduce a que seamos concientes de la presencia de Dios, ante quien toda persona será juzgada un día" (en la introducción de la *Sede Apostólica de la Vacante*), la cual es considerada un amable tributo al genio artístico y religioso de Miguel Ángel y sus predecesores quienes diseñaron y decoraron la capilla.

Durante la primera tarde se ocupan de hacer los juramentos de secreto perpetuo y la lectura de las reglas. El voto se realiza sin discursos o debates. Cada cardenal recibe una papeleta para votar donde escribe un nombre. Luego cada uno se acerca al altar donde hay una urna para depositar el voto mientras dice en voz alta: "Llamo como testigo a Cristo nuestro señor, quien será mi juez, al dar mi voto por aquel que, ante Dios, pienso que debería ser electo" (en la *Sede Apostólica de la Vacante*). Los votos son contados y si no se obtiene una mayoría de las dos terceras partes se continúa la votación, dos veces en la mañana y dos veces en la tarde, día tras día, hasta que un candidato es elegido. Las rúbricas del cónclave establecen que debe reducirse a dos candidatos con mayores posibilidades luego de haberse realizado treinta

Exhortation to universal prayer by Saint Pius X, Pius XII and Blessed John XXIII:

Since, moreover, the faithful ought not to be driven so much by the aid of human industry or even worry, but rather ought to hope in humble and devout prayer, to this end we lay down that in all cities and other places, at least the more important ones, as soon as news is received of the death of the pontiff and solemn funeral rites are celebrated for him by the clergy and the people every day (meanwhile there will have been provision for the Roman church concerning its pastor), there be humble and persevering prayers offered to the Lord, so that he may so effect the hearts of the cardinals in electoral concord, so that a swift, unanimous and useful course be followed, insofar as the salvation of souls and the utility of the whole world require. (Constitutio de sede apostolica vacante, 104)

Exhortation to universal prayer by Paul VI and John Paul II:

During the vacancy of the Apostolic See, and above all during the time of the election of the Successor of Peter, the Church is united in a very special way with her Pastors and particularly with the Cardinal electors of the Supreme Pontiff, and she asks God to grant her a new Pope as a gift of his goodness and providence. Indeed, following the example of the first Christian community spoken of in the Acts of the Apostles (cf. 1:14), the universal Church, spiritually united with Mary, the Mother of Jesus, should persevere with one heart in prayer; thus the election of the new Pope will not be something unconnected with the People of God and concerning the College of electors alone, but will be in a certain sense an act of the whole Church. I therefore lay down that in all cities and other places... (On the Vacancy of the Apostolic See, 84)

one who before God I think should be elected" (On the Vacancy of the Apostolic See, 66). The vote is counted and if a two-third's majority has not been attained, the balloting continues, twice in the morning and twice in the afternoon, day after day, until a candidate has been elected. The rubrics of the conclave provide for the balloting to be reduced to the two leading candidates after thirty-three ballots and no election. The election continues until one of the candidates achieves a two-thirds majority. Ballots are burned twice a day, at the end of the morning and again in the afternoon. Following the successful election, a chemical is added to the burning in order to turn the smoke pure white as a signal to the assembled faithful in Saint Peter's square that the announcement of the new pope is imminent.

The man elected, assuming that he is present, is approached immediately after the balloting and asked to accept. As soon as he accepts he is asked by what name he wishes to be called. In a little antechamber of the sacristy of the Sistine Chapel the newly-elected vests in a white papal soutane, which has been especially prepared in three sizes. He reenters the Sistine chapel and sits in chair before the

y tres votaciones sin un elegido. El proceso sigue hasta que uno de los dos candidatos obtiene la mayoría de las dos terceras partes. El contenido de las urnas se quema dos veces al día, al final de la mañana y en la tarde. Luego de una elección exitosa se añade un químico a la quema para convertir el humo negro en blanco puro como una señal para los fieles, reunidos en la plaza de San Pedro, de que el anuncio de un nuevo Papa es inminente.

Inmediatamente después del conteo se pide al hombre elegido, asumiendo que está presente, si quiere aceptar. Una vez acepta, se le pregunta qué nombre quisiera usar. En la pequeña antecámara de la sacristía de la Capilla Sixtina, el recién elegido viste la blanca sotana papal que ha sido especialmente diseñada en tres tallas. Luego entra de nuevo a la Capilla Sixtina y se sienta en la silla frente al altar donde recibe formalmente un homenaje y obediencia de todos los electores, en orden de acuerdo con su jerarquía en el Colegio Cardenalicio. Luego el nuevo Papa bendice a los feligreses desde la Loggia of Benedictino ubicada al frente de la basílica (Fig. 2). El Cardenal Diácono presenta el pontífice a la ciudad y al mundo con las palabras "*Annuntio vobis gaudium magnum; habemus Papam*" (Les anuncio con gran felicidad que tenemos un nuevo Papa).

Exhortación a la oración universal por San Pío X, Pio XII y el Bendecido Juan XXIII.

Mas aún, el fiel no debería dejarse llevar ni preocuparse tanto por la ayuda de la industria humana, sino mejor debería esperar con humildad y devota oración y que al final confiamos en que en todas las ciudades y otros lugares, al menos los más importantes, tan pronto como sea recibida la noticia de la muerte del pontífice, y clérigos y personas estén celebrando el ritual de su solemne funeral (mientras se realizan los aprovisionamientos para la iglesia Romana en lo concerniente a su pastor), habrá humildes y perseverantes oraciones ofrecidas a nuestro Señor para que tengan efecto en los corazones de los cardenales, y la armonía electoral tenga curso rápido, unánime y útil como lo requieren la salvación de las almas y el beneficio del mundo entero. (Constitutio de sede apostolica vacante, 104)

Exhortación a la oración universal por Pablo VI y Juan Pablo II.

Durante la Sede de la Vacante Apostólica y sobre todo durante el tiempo de elección del sucesor de Pedro, la Iglesia está unida de manera muy especial con sus pastores, y particularmente con los Cardenales electores del supremo pontífice, pidiendo a Dios que tenga un nuevo Papa para su bondad y providencia. En verdad siguiendo el ejemplo de la primera Comunidad Cristiana, como es relatado en los Hechos de los Apóstoles (cf. 1:14), para que en unión con María la Madre de Jesús oremos con perseverancia unidos en un solo corazón; así, la elección del nuevo Papa no será un acto desconectado de la Gente de Dios y pertinente sólo al Colegio elector, sino que será, en cierto sentido, un acto de toda la iglesia. Por lo tanto confío en que en todas las ciudades y otros lugares...(En la Sede de la Vacante Apostólica, 84)

altar and receives a formal act of homage and obedience from each of the electors in order of their status in the College of Cardinals. Afterwards the new pope blesses the people from the Loggia of Benediction in the facade of the basilica (Fig. 2).The senior cardinal deacon introduces the pontiff to the city and the world with the words: "Annuntio vobis gaudium magnum; habemus Papam" (I announce to you a great joy; we have a pope).

The rubrics governing the conclave teach the faithful three things about the election of the pope, namely, that the electors stand in judgment before God in the work that they do; that the Holy Spirit operates through them to ensure the continuation of the redemptive ministry of the church in the world; and that, in a certain manner, the universal church is gathered together in the conclave, much like the first church at Pentecost, gathered with Mary, the Mother of God. This last lesson was the special emphasis of Pope Paul VI which Pope John Paul II preserved in his own apostolic constitution. The beauty and import of Pope Paul's exhortation is clearly seen in comparison to the text upon which it expanded.

Las rúbricas que controlan el cónclave ofrecen tres enseñanzas a los fieles sobre la elección del Papa: Que los electores sostienen ante Dios su juramento sobre el trabajo que realizan; que el Espíritu Santo está con ellos para garantizar la continuidad del ministerio redentor de la iglesia alrededor del mundo y que, de cierta manera, la iglesia universal está reunida en el cónclave de la misma manera que lo hizo la primera iglesia durante la Pentecostés, con María la madre de Dios. Esta última lección tenía la prioridad especial del Papa Pablo VI y el Papa Juan Pablo II la preservó en su propia Constitución Apostólica. La belleza e importancia de la exhortación del Papa Pablo puede verse claramente al comparar los textos donde están presentes.

La evocación a la Pentecostés que hace el Papa Pablo, como la imagen adecuada de la Iglesia trabajando en la elección del Papa, representa una continuación del tema de la Pentecostés tan presente a raíz del Segundo Concilio Vaticano y bellamente representado por el artista Lello Scorzelli en su bajorrelieve de bronce *Pentecost*, finalizado en 1967, en memoria del concilio. El trabajo del cónclave, el concilio y la iglesia, es el mismo: la continuación del mensaje de redención y paz del evangelio para un mundo a la espera.

Pope Paul's evocation of Pentecost as a proper image for the church at work in the election of the pope was a continuation of the Pentecost theme so prevalent in the wake of the Second Vatican Council and captured so beautifully by the artist, Lello Scorzelli, in his bronze bas-relief, Pentecost, completed in 1967, in memory of the council. The work of conclave, council, and church is all one, the continuation of the Gospel message of redemption and peace to a waiting world.

The newly elected's ministry as pope begins immediately upon his consent to the election. The solemn inauguration and the ritual possession-taking of the Lateran basilica that follow are symbolic of the pope's consecration to the Petrine ministry. The pope is bishop of the church in Rome and pontiff of the universal church, who visibly represents Jesus, the unseen Pastor, who leads the church and world to salvation. In both these offices, the pope continues the pastoral leadership of the earliest apostles, especially Peter and Paul in Rome, and ultimately Peter as the one to whom Christ entrusted the duty of acting as visible head of the church on earth.

The inauguration ceremonies are occasions for blessing the new pope and bestowing upon him the insignia of office. Formerly known as the papal coronation, the ceremonies are now called the "Celebrations for the Start of the Petrine Ministry of the Bishop of Rome." In Saint Peter's Basilica, the new pontiff presides at a mass in which he receives a pallium (Fig. 3) and a ring. Popes no longer receive the tiara, or conical headdress with three crowns. In a more ancient ceremony, after the mass the pope would proceed outside the basilica where the archdeacon would place a tiara on his head as a sign of the universal authority of the papacy. The borrowing of the word tiara from the Vulgate (Ex 29:5-6), where it was used to describe the headpiece worn by the high priest in ancient Israel, betokens its liturgical origin. By the second millennium, however, the tiara had lost its liturgical function and become the distinctive sign of the pope as universal pastor. The gradual addition of one, then two, and finally three crowns reflected the development of the doctrine of the relationship between the church, with the pope as its visible head, and civil society. The triple crown signified that the pope represents Christ, whose message of redemption is good for all forms of earthly

El ministerio del Papa recién elegido se inicia inmediatamente este da su consentimiento a la elección. La inauguración solemne y el ritual de toma de posesión que continúan en la Basílica Letrán son símbolos que representan la consagración del ministerio de Pedro. El Papa es el obispo de la iglesia en Roma y pontífice de la iglesia universal que representa visiblemente a Jesús; el pastor no visto que guía a la iglesia y al mundo hacia la salvación. En estos dos oficios, el Papa continúa el liderazgo Pastoral de los primeros apóstoles, especialmente Pedro y Pablo en Roma y especialmente Pedro como aquel a quien Cristo le confió la responsabilidad de actuar como cabeza visible de la iglesia en la tierra.

Durante las ceremonias de inauguración el nuevo Papa recibe las bendiciones y la investidura de la insignia de oficio. Conocido anteriormente como la coronación del Papa, las ceremonias son ahora llamadas "Celebraciones del Inicio del Ministerio de Pedro por los Obispos de Roma". En la basílica de San Pedro, el nuevo pontífice preside una misa donde recibe el Manto (Fig. 3) y un anillo. Los Papas ya no reciben la tiara o mitra con tres coronas. En antiguas ceremonias, luego de la misa, el Papa salía de la basílica donde el archidiácono posaba la Tiara en su cabeza como símbolo de la autoridad universal del papado. La palabra Tiara fue tomada de la Vulgata (Biblia traducida al latín-Ex. 29:5-6), donde era usada para describir el yelmo o casco usado por el sumo sacerdote en el antiguo Israel, representación de su significado litúrgico. En el segundo milenio, no obstante, la tiara había perdido su función litúrgica para convertirse en un símbolo distintivo le Papa como pastor universal. La adición gradual de una, dos y finalmente tres coronas reflejaba la manera en que se desarrolló la relación de la iglesia, con el Papa, como cabeza visible, y la sociedad civil. La triple corona significaba que el Papa representa a Cristo, cuyo mensaje de redención es para todas las formas de autoridad terrena – espiritual, real e imperial-, y que Cristo es el señor definitivo de todos. La tiara por lo tanto simboliza la victoria de Jesús sobre la cruz. Los Papas en tiempos modernos la han dejado de usar, quizás para no confundir símbolos de gloria mundana con la salvación Cristiana. Para las sociedades modernas, las coronas ya no representan el poder de Dios sobre todas las cosas, ni los reinados e imperios son entendidos como ministerios ordenados para servir a la sociedad. En lugar de la tiara, Pablo VI escogió una vestidura de mitra decorada con representaciones de los cuatro evangelios como símbolo del oficio papal.

Fig. 3
Pope John Paul II receiving the pallium at the ceremony marking the beginning of his pontificate

El Papa Juan Pablo II recibiendo el manto durante la ceremonia que marcó el inicio de su pontificado

authority – spiritual, royal, and imperial – and that Christ is ultimately lord of all. The tiara, therefore, is a symbol of Christ's victory on the cross. Popes in our own time have retired it, perhaps because of the confusion of symbols of worldly glory and Christian salvation. Crowns no longer speak to contemporary society of God's ordering of all things, nor are kingship and empire understood as ministries ordained to serve society. Instead of the tiara, Paul VI chose a cloth miter decorated with the symbols of the four Gospels as a sign of the papal office. John Paul II will most often be remembered standing erect, bearing the silver shepherd's staff made into the cross of Christ, and, in his later years, leaning upon the same for support. Benedict XVI has removed the tiara from the papal coat of arms and replaced it with a miter and pallium. Symbols will change, but the reality remains the same. The popes stand in the place of Peter and must give the same proof of love, "Feed my sheep."

Juan Pablo II será recordado por pararse erguido sosteniendo su báculo de plata convertido en la cruz de Cristo y luego, en los últimos años, usándolo como soporte. Benedicto XVI ha quitado la tiara del escudo o blasón para reemplazarla por una mitra -o toca- y un manto. Los símbolos pueden cambiar pero la realidad permanece igual. Los Papas ocupan el lugar de Pedro y deben ofrecer la misma prueba de amor, "alimenta mis ovejas".

Saint Peter and His Successors

This list of popes and antipopes is derived from one compiled by A. Mercati in 1947 under the auspices of the Vatican; some changes have been made on the basis of recent scholarship, and the list has been brought up to date. The years of each pope's reign follow his name; for popes after the end of the Great Schism (1378-1417), family names are given as well. The names of antipopes are enclosed in brackets, while alternative numberings of papal names appear in parentheses.

Saint Peter (67)
Saint Linus (67-76)
Saint Anacletus (Cletus) (76-88)
Saint Clement I (88-97)
Saint Evaristus (97-105)
Saint Alexander I (105-15)
Saint Sixtus I (115-25)
Saint Telesphorus (125-36)
Saint Hyginus (136-40)
Saint Pius I (140-55)
Saint Anicetus (155-66)
Saint Soter (166-75)
Saint Eleutherius (175-89)
Saint Victor I (189-99)
Saint Zephyrinus (199-217)
Saint Callistus I (217-22)
[Saint Hippolytus (217-35)]
Saint Urban I (222-30)
Saint Pontianus (230-35)
Saint Anterus (235-36)
Saint Fabian (236-50)
Saint Cornelius (251-53)
[Novatian (251)]
Saint Lucius I (253-54)
Saint Stephen I (254-57)
Saint Sixtus II (257-58)
Saint Dionysius (259-68)
Saint Felix I (269-74)
Saint Eutychian (275-83)
Saint Gaius (Caius) (283-96)
Saint Marcellinus (296-304)
Saint Marcellus I (308-9)
Saint Eusebius (309)
Saint Miltiades (311-14)
Saint Silvester I (314-35)
Saint Mark (336)
Saint Julius I (337-52)
Liberius (352-66)
[Felix II (355-65)]
Saint Damasus I (366-84)
[Ursinus (366-67)]
Saint Siricius (384-99)
Saint Anastasius I (399-401)
Saint Innocent I (401-17)
Saint Zosimus (417-18)
Saint Boniface I (418-22)
[Eulalius(418-19)]
Saint Celestine I (422-32)
Saint Sixtus III (432-40)
Saint Leo I (440-61)
Saint Hilary (461-68)
Saint Simplicius (468-83)
Saint Felix III (II) (483-92)
Saint Gelasius I (492-96)
Anastasius II (496-98)
Saint Symmachus (498-514)
[Lawrence (498; 501-5)]
Saint Hormisdas (514-23)
Saint John I (523-26)
Saint Felix IV (III) (526-30)
Boniface II (530-32)
[Dioscorus (530)]
John II (533-35)
Saint Agapitus I (535-36)
Saint Silverius (536-37)
Vigilius (537-55)
Pelagius I (556-61)
John III (561-74)
Benedict I (575-79)
Pelagius II (579-90)
Saint Gregory I (590-640)
Sabinian (604-6)
Boniface III (607)
Saint Boniface IV (608-15)
Saint Deusdedit I (615-18)
Boniface V (619-25)
Honorius I (625-38)
Severinus (640)
John IV (640-42)
Theodore I (642-49)
Saint Martin I (649-55)
Saint Eugene I (654-57)
Saint Vitalian (657-72)
Deusdedit II (672-76)
Donus (676-78)
Saint Agatho (678-81)
Saint Leo II (682-83)
Saint Benedict II (684-85)
John V (685-86)
Conon (686-87)
[Theodore (687)]
[Paschal (687)]
Saint Sergius I (687-701)
John VI (701-5)
John VII (705-7)
Sisinnius (708)
Constantine (708-15)
Saint Gregory II (715-31)
Saint Gregory III (731-41)
Saint Zachary (741-52)
Stephen (752)
Stephen II (III) (752-57)
Saint Paul I (757-67)
[Constantine (767-69)]
[Philip (768)]
Stephen III (IV) (768-72)
Adrian I (772-95)
Saint Leo III (795-816)
Stephen IV (V) (816-17)
Saint Paschal I (817-24)
Eugene II (824-27)
Valentine (827)
Gregory IV (827-44)
[John (844)]
Sergius II (844-47)
Saint Leo IV (847-55)
Benedict III (855-58)
[Anastasius (855)]
Saint Nicholas I (858-67)
Adrian II (867-72)
John VIII (872-82)
Marinus I (882-84)
Saint Adrian III (884-85)
Stephen V (VI) (885-91)
Formosus (891-96)
Boniface VI (896)
Stephen VI (VII) (896-97)
Romanus (897)
Theodore II (897)
John IX (898-900)
Benedict IV (900-903)
Leo V (903)
[Christopher (903-41)]
Sergius III (904-11)
Anastasius III (911-13)
Lando (913-14)
John X (914-28)
Leo VI (928)
Stephen VII (VIII) (928-31)
John XI (931-35)
Leo VII (936-39)
Stephen VIII (IX) (939-42)
Marinus II (942-46)
Agapetus II (946-55)
John XII (955-64)
Leo VIII (963-65)
Benedict V (964-66)
John XIII (965-72)
Benedict VI (973-74)
[Boniface VII (974; 984-85)]
Benedict VII (974-83)
John XIV (983-84)
John XV (985-96)

Gregory V (996-99)
[John XVI (997-98)]
Silvester II (999-1003)
John XVII (1003)
John XVIII (1004-9)
Sergius IV (1009-12)
Benedict VIII (1012-24)
[Gregory (1012)]
John XIX (1024-32)
Benedict IX (1032-44)
Silvester III (1045)
Benedict IX (1045)
Gregory VI (1045-46)
Clement II (1046-47)
Benedict IX (1047-48)
Damasus II (1048)
Saint Leo IX (1049-54)
Victor II (1055-77)
Stephen IX (X) (1057-58)
[Benedict X (1058-59)]
Nicholas II (1059-61)
Alexander II (1061-73)
[Honorius II (1061-72)]
Saint Gregory VII (1073-85)
[Clement III (1080; 1084-1100)]
Blessed Victor III (1086-87)
Blessed Urban II (1088-99)
Paschal II (1099-1118)
[Theodoric (1100)]
[Albert (1102)]
[Silvester IV (1105-11)]
Gelasius II (1118-19)
[Gregory VIII (1118-21)]
Callistus II (1119-24)
Honorius II (1124-30)
[Celestine II (1124)]
Innocent II (1130-43)
[Anacletus II (1130-38)]
[Victor IV (1138)]
Celestine II (1143-44)
Lucius II (1144-45)
Blessed Eugene III (1145-53)
Anastasius IV (1153-54)
Adrian IV (1154-59)
Alexander III (1159-81)
[Victor IV (1159-64)]
[Paschal III (1164-68)]
[Callistus III (1168-78)]
[Innocent III (1179-80)]
Lucius III (1181-85)
Urban III (1185-87)

Gregory VIII (1187)
Clement III (1187-91)
Celestine III (1191-98)
Innocent III (1198-1216)
Honorius III (1216-27)
Gregory IX (1227-41)
Celestine IV (1241)
Innocent IV (1243-54)
Alexander IV (1254-61)
Urban IV (1261-64)
Clement IV (1265-68)
Blessed Gregory X (1271; 1272-76)
Blessed Innocent V (1276)
Adrian V (1276)
John XXI (1276-77)
Nicholas III (1277-80)
Martin IV (1281-85)
Honorius IV (1285-87)
Nicholas IV (1288-92)
Saint Celestine V (1294)
Boniface VIII (1294; 1295-1303)
Blessed Benedict XI (1303-4)
Clement V (1305-14)
John XXII (1316-34)
[Nicholas V (1328-30)]
Benedict XII (1335-42)
Clement VI (1342-52)
Innocent VI (1352-62)
Blessed Urban V (1362-70)
Gregory XI (1370; 1371-78)
Urban VI (1378-89)
[Clement VII (1378-94)]
Boniface IX (1389-1404)
[Benedict XIII (1394-1423)]
Innocent VII (1404-06)
Gregory XII (1406-15)
[Alexander V (1409-10)]
[John XXIII (1410-15)]
Martin V (Colonna, 1417-31)
Eugene IV (Condulmer, 1431-47)
[Felix V (1439; 1440-49)]
Nicholas V (Parentuccelli, 1447-55)
Callistus III (Borgia, 1455-58)
Pius II (Piccolomini, 1458-64)
Paul II (Barbo, 1464-71)
Sixtus IV (Della Rovere, 1471-84)
Innocent VIII (Cibo, 1484-92)
Alexander VI (Borgia, 1492-1503)
Pius III (Todeschini-Piccolomini, 1503)
Julius II (Della Rovere, 1503-13)
Leo X (Medici, 1513-21)

Adrian VI (Florensz, 1522-23)
Clement VII (Medici, 1523-34)
Paul III (Farnese, 1534-49)
Julius III (Ciocchi del Monte, (1550-55)
Marcellus II (Cervini, 1555)
Paul IV (Carafa, 1555-59)
Pius IV (Medici, 1559; 1560-65)
Saint Pius V (Ghislieri, 1566-72)
Gregory XIII (Boncompagni, 1572-85)
Sixtus X (Peretti, 1585-90)
Urban VII (Castagna, 1590)
Gregory XIV (Sfondrati, 1590-91)
Innocent IX (Facchinetti, 1591)
Clement VIII (Aldobrandini, 1592-1605)
Leo XI (Medici, 1605)
Paul V (Vorghese, 1605-21)
Gregory XV (Ludovisi, 1621-23)
Urban VIII (Barberini, 1623-44)
Innocent X (Pamphili, 1644-55)
Alexander VII (Chigi, 1655-67)
Clement IX (Rospigliosi, 1667-69)
Clement X (Altieri, 1670-76)
Blessed Innocent XI
(Odescalchi, 1676-89)
Alexander VIII (Ottoboni, 1689-91)
Innocent XII (Pignatelli, 1691-1700)
Clement XI (Albani, 1700-1721)
Innocent XIII (Conti, 1721-24)
Benedict XIII (Orsini, 1724-30)
Clement XII (Corsini, 1730-1740)
Benedict XIV (Lambertini, 1740-58)
Clement XIII (Rezzonico, 1758-69)
Clement XIV (Ganganelli, 1769-74)
Pius VI (Braschi, 1775-99)
Pius VII (Chiaramonti, 1800-1823)
Leo XII (Della Genga, 1823-29)
Pius VIII (Castiglioni, 1829-30)
Gregory XVI (Cappellari, 1831-46)
Pius IX (Mastai-Ferretti, 1846-78)
Leo XIII (Pecci, 1878-1903)
Saint Pius X (Sarto, 1903-14)
Benedict XV (Della Chiesa, 1914-22)
Pius XI (Ratti, 1922-39)
Pius XII (Pacelli, 1939-58)
Blessed John XXIII (Roncalli, 1958-63)
Paul VI (Montini, 1963-78)
John Paul I (Luciani, 1978)
John Paul II (Wojtyla, 1978-2005)
Benedict XVI (Ratzinger, 2005-)

San Pedro y sus sucesores

Esta lista de Papas y antipapas se deriva de una compilada por A. Mercati en 1947, bajo el auspicio del Vaticano. Se han realizado algunos cambios basados en estudios recientes y la lista ha sido actualizada. Al lado del nombre de cada Papa está su año de reinado. Para los Papas del Gran Cisma (o división de la iglesia entre 1378 y 1417), se ofrecen también sus nombres propios o de familia. Los nombres de los antipapas están entre corchetes y los nombres y números alternativos de ciertos Papas están entre paréntesis.

San Pedro (67)
San Lino (67-76)
San Anacleto (Cleto) (76-88)
San Clemente I (88-97)
San Evaristo (97-105)
San Alejandro I (105-15)
San Sixto I (115-25)
San Telésforo (125-36)
San Higinio –o Higinio- (136-40)
San Pío I (140-55)
San Aniceto (155-66)
San Sotero (166-75)
San Eleuterio (175-89)
San Víctor I (189-99)
San Severino (199-217)
San Calixto I (217-22)
[San Hipólito (217-35)]
San Urbano I (222-30)
San Ponciano (230-35)
San Antero (235-36)
San Fabián (236-50)
San Cornelio (251-53)
[Novaciano (251)]
San Lucio I (253-54)
San Esteban I (254-57)
San Sixto II (257-58)
San Dionisio (259-68)
San Félix (269-74)
San Euticiano (275-83)
San Gallo (Callo) (283-96)
San Marcelino (296-304)
San Marcelo I (308-9)
San Eusebio (309)
San Milciades –o Melquiades-(311-14)
San Silvestre I (314-35)
San Marcos (336)
San Julio I (337-52)
Liberio (352-66)
[Félix II (355-65)]
San Dámaso I (366-84)
[Ursino (366-67)]
San Siricio (384-99)
San Anastasio I (399-401)
San Inocencio I (401-17)
San Zósimo (417-18)
San Bonifacio I (418-22)
[Eulalio (418-19)]
San Celestino I (422-32)
San Sixto III (432-40)
San León I (440-61)
San Hilario (461-68)
San Simplicio (468-83)
San Félix III (II) (483-92)
San Gelasio I (492-96)
Anastasio II (496-98)
San Símaco (498-514)
[Lorenzo (498; 501-5)]
San Hormidas (514-23)
San Juan I (523-26)
San Félix IV (III) (526-30)
Bonifacio II (530-32)
[Dióscuro (530)]
Juan II (533-35)
San Agapito (535-36)
San Silverio (536-37)
Vigilio (537-55)
Pelayo I (556-61)
Juan III (561-74)
Benedicto I (575-79)
Pelayo II (579-90)
San Gregorio I (590-640)
Sabinio (604-6)
BonifacioIII (607)
San Bonifacio IV (608-15)
San Adeodato I (615-18)
Bonifacio V (619-25)
Honorio I (625-38)
Severino (640)
Juan IV (640-42)
Teodoro I (642-49)
San Martín I (649-55)
San Eugenio I (654-57)
San Vitaliano (657-72)
Adeodato II (672-76)
Dono (676-78)
San Agatón (678-81)
San León II (682-83)
San Benedicto II (684-85)
Juan V (685-86)
Conón (686-87)
[Teodoro (687)]
[Pascual (687)]
San Sergio I (687-701)
Juan VI (701-5)
Juan VII (705-7)
Sisino (708)
Constantino (708-15)
San Gregorio II (715-31)
San Gregorio III (731-41)
San Zacarías (741-52)
Esteban (752)
Esteban II (III) (752-57)
San Pablo I (757-67)
[Constantino (767-69)]
[Felipe (768)]
Esteban III (IV) (768-72)
Adriano I (772-95)
San León III (795-816)
Esteban IV (816-17)
San Pascual I (817-24)
Eugenio II (824-27)
Valentín (827)
Gregorio IV (827-44)
[Juan (844)]
Sergio II (844-47)
San León IV (847-55)
Benedicto III (855-58)
[Anastasio (855)]
San Nicolás I (858-67)
Adriano II (867-72)
Juan VIII (872-82)
Marino I (882-84)
San Adriano III (884-85)
Esteban V (VI) (885-91)
Formoso (891-96)
Bonifacio VI (896)
Esteban VI (VII) (896-97)
Romano (897)
Teodoro II (897)
Juan IX (898-900)
Benedicto IV (900-903)
León V (903)
[Cristóbal (903-41)]
Sergio III (904-11)
Anastasio III (911-13)
Landon (913-14)
Juan X (914-28)
León VI (928)
Esteban VII (VIII) (928-31)
Juan XI (931-35)
León VII (936-39)
Esteban VIII (IX) (939-42)
Marino II (942-46)
Agapito II (946-55)
Juan XII (955-64)
León VIII (963-65)
Benedicto V (964-66)
Juan XIII (965-72)
Benedicto VI (973-74)
[Bonifacio VII (974; 984-85)]
Benedicto VII (974-83)
Juan XIV (983-84)
Juan XV (985-96)

Gregorio V (996-99)
[Juan XVI (997-98)]
Silvestre II (999-1003)
Juan XVII (1003)
Juan XVIII (1004-9)
Sergio IV (1009-12)
Benedicto VIII (1012-24)
[Gregorio (1012)]
Juan XIX (1024-32)
Benedicto IX (1032-44)
Silvestre III (1045)
Benedicto IX (1045)
Gregorio VI (1045-46)
Clemente II (1046-47)
Benedicto IX (1047-48)
Dámaso II (1048)
San León IX (1049-54)
Víctor II (1055-77)
Esteban IX (X) (1057-58)
[Benedicto X (1058-59)]
Nicolás II (1059-61)
Alejandro II (1061-73)
[Honorio II (1061-72)]
San Gregorio VII (1073-85)
[Clemente III (1080; 1084-1100)]
Beato Víctor III (1086-87)
Beato Urbano II (1088-99)
Pascual II (1099-1118)
[Teodorico (1100)]
[Alberto (1102)]
[Silvestre IV (1105-11)]
Gelasio II (1118-19)
[Gregorio VIII (1118-21)]
Calixto II (1119-24)
Honorio II (1124-30)
[Celestino II (1124)]
Inocencio II (1130-43)
[Anacleto II (1130-38)]
[Víctor IV (1138)]
Celestino II (1143-44)
Lucio II (1144-45)
Beato Eugenio III (1145-53)
Anastasio IV (1153-54)
Adriano IV (1154-59)
Alejandro III (1159-81)
[Víctor IV (1159-64)]
[Pascual III (1164-68)]
[Calixto III (1168-78)]
[Inocencio III (1179-80)]
Lucio III (1181-85)
Urbano III (1185-87)

Gregorio VIII (1187)
Clemente III (1187-91)
Celestino III (1191-98)
Inocencio III (1198-1216)
Honorio III (1216-27)
Gregorio IX (1227-41)
Celestino IV (1241)
Inocencio IV (1243-54)
Alejandro IV (1254-61)
Urbano IV (1261-64)
Clemente IV (1265-68)
Beato Gregorio X (1271; 1272-76)
Beato Inocencio V (1276)
Adriano V (1276)
Juan XXI (1276-77)
Nicolás III (1277-80)
Martín IV (1281-85)
Honorio IV (1285-87)
Nicolás IV (1288-92)
San Celestino V (1294)
Bonifacio VIII (1294; 1295-1303)
Beato Benedicto XI (1303-4)
Clemente V (1305-14)
Juan XXII (1316-34)
[Nicolás V (1328-30)]
Benedicto XII (1335-42)
Clemente VI (1342-52)
Inocencio VI (1352-62)
Beato Urbano V (1362-70)
Gregorio XI (1370; 1371-78)
Urbano VI (1378-89)
[Clemente VII (1378-94)]
Bonifacio IX (1389-1404)
[Benedicto XIII (1394-1423)]
Inocencio VII (1404-06)
Gregorio XII (1406-15)
[Alejandro V (1409-10)]
[Juan XXIII (1410-15)]
Martín V (Colonna, 1417-31)
Eugenio IV (Condulmer, 1431-47)
[Félix V (1439; 1440-49)]
Nicolás V (Parentuccelli, 1447-55)
Calixto III (Borgia, 1455-58)
Pío II (Piccolomini, 1458-64)
Pablo II (Barbo, 1464-71)
Sixto IV (Della Rovere, 1471-84)
Inocencio VIII (Cibo, 1484-92)
Alejandro VI (Borgia, 1492-1503)
Pío III (Todeschini-Piccolomini, 1503)
Julio II (Della Rovere, 1503-13)
León X (Medici, 1513-21)

Adriano VI (Florensz, 1522-23)
Clemente VII (Medici, 1523-34)
Pablo III (Farnese, 1534-49)
Julio III (Ciocchi del Monte, (1550-55)
Marcelo II (Cervini, 1555)
Pablo IV (Carafa, 1555-59)
Pío IV (Medici, 1559; 1560-65)
San Pío V (Ghislieri, 1566-72)
Gregorio XIII (Boncompagni, 1572-85)
Sixto X (Peretti, 1585-90)
Urbano VII (Castagna, 1590)
Gregorio XIV (Sfondrati, 1590-91)
Inocencio IX (Facchinetti, 1591)
Clemente VIII (Aldobrandini, 1592-1605)
León XI (Medici, 1605)
Pablo V (Vorghese, 1605-21)
Gregorio XV (Ludovisi, 1621-23)
Urbano VIII (Barberini, 1623-44)
Inocencio X (Pamphili, 1644-55)
Alejandro VII (Chigi, 1655-67)
Clemente IX (Rospigliosi, 1667-69)
Clemente X (Altieri, 1670-76)
Beato Inocencio XI (Odescalchi, 1676-89)
Alejandro VIII (Ottoboni, 1689-91)
Inocencio XII (Pignatelli, 1691-1700)
Clemente XI (Albani, 1700-1721)
Inocencio XIII (Conti, 1721-24)
Benedicto XIII (Orsini, 1724-30)
Clemente XII (Corsini, 1730-1740)
Benedicto XIV (Lambertini, 1740-58)
Clemente XIII (Rezzonico, 1758-69)
Clemente XIV (Ganganelli, 1769-74)
Pío VI (Braschi, 1775-99)
Pío VII (Chiaramonti, 1800-1823)
León XII (Della Genga, 1823-29)
Pío VIII (Castiglioni, 1829-30)
Gregorio XVI (Cappellari, 1831-46)
Pío IX (Mastai-Ferretti, 1846-78)
León XIII (Pecci, 1878-1903)
San Pío X (Sarto, 1903-14)
Benedicto XV (Della Chiesa, 1914-22)
Pío XI (Ratti, 1922-39)
Pío XII (Pacelli, 1939-58)
Beato Juan XXIII (Roncalli, 1958-63)
Pablo VI (Montini, 1963-78)
Juan Pablo I (Luciani, 1978)
Juan Pablo II (Wojtyla, 1978-2005)
Benedicto XVI (Ratzinger, 2005-)

Foundations of the Church

Inicios de la Iglesia

Foundations of the Church

The Vatican and Catholic Church grew out of the events described in the New Testament: the story of Jesus, the Holy Family, and the Apostles. Not only are these iconic figures the foundations of the Church, they have been the focus of much of the world's art spanning centuries.

Two thousands years ago, as today, Palestine was an arid, stony place. Mighty Rome had conquered the land but considered it of little strategic importance, merely a far-flung province on the very edges of its empire. There, in one of the region's smallest towns, Bethlehem, Jesus was born.

His birth, noted only by a handful of shepherds, is fundamental to the history of the Catholic Church and much of the world. Christians believe the infant was the son of God, the savior of humankind. In the West, and eventually the entire world, events in history would be dated as preceding or following the moment of his birth.

Jesus never left Palestine, but his disciples spread his message throughout the world.

Objects in this first section of the exhibition include paintings that illustrate major events in Jesus' life, culminating in the Passion – his suffering and death upon the cross – and Resurrection. They include a silver reliquary containing bones traditionally attributed to Peter, the first among Jesus' disciples. And they include one of the exhibition's feature objects, The Mandylion of Edessa. This third to fifth century image is the earliest icon of the face of Jesus reputedly not made by human hands.

Inicios de la Iglesia

El Vaticano y la Iglesia Católica surgieron de los eventos descritos en el Nuevo Testamento: la historia de Jesús, la Sagrada Familia y los Apóstoles. Estas figuras icónicas no son sólo las bases de la iglesia sino también el centro de atención del arte mundial a través de los siglos.

Hace 2 mil años, como en la actualidad, Palestina era un lugar árido y pedregoso. La poderosa Roma había conquistado el territorio pero lo consideraba de poca importancia estratégica, simplemente una amplia provincia ubicada en las fronteras de su imperio. Allí, en Belén, uno de los pueblos más pequeños de la región, nació Jesús.

Su nacimiento, advertido sólo por unos pocos pastores, es fundamental para la historia de la Iglesia Católica y de casi todo el mundo. Los cristianos creen que el pequeño fue el hijo de Dios, el salvador de la humanidad. En Occidente, y eventualmente por todo el mundo, los eventos históricos serian referenciados como ocurridos antes o después de su nacimiento.

Jesús nunca salió de Palestina pero sus discípulos llevaron su mensaje por todo el mundo.

Los objetos incluidos en esta primera parte de la exhibición incluyen pinturas que ilustran eventos importantes en la vida de Jesús, culminando con la Pasión – su sufrimiento y muerte en la cruz – y la Resurrección. Contiene un relicario de plata con huesos atribuidos tradicionalmente a Pedro, el primero entre los discípulos de Jesús. E incluye uno de los objetos más destacados de la exhibición, el Mandylion (manto) de Edessa. Esta imagen proveniente de alrededor de los siglos tercero a quinto, es uno de los primeros íconos con la imagen de Jesús, supuestamente hecha por manos no-humanas.

Figure 16
The Holy Family with Two Angels
Bologna (Italy), 16th century
Oil on canvas
43.5 x 38 cm
17 1/8 x 15 inches
Congregation for the Evangelization of Peoples, Vatican City State

La Sagrada Familia con dos Ángeles
Siglo 16
Escuela de Bolonia
Óleo sobre lienzo
Congregación para la Evangelización de los pueblos, Ciudad Estado del Vaticano

Figure 22
Madonna del Sassoferrato
Giovanni Battista Salvi
(detto il Sassoferrato) (1605-1685)
Oil on copper
35 x 28 cm
13 3/4 x 11 inches
Private Collection, Vatican City State

Virgen del Sassoferrato
Siglo 17
Giovanni Battista Salvi (conocido como Il Sassoferrato) (1609-1685)
Óleo sobre cobre
Colección Privada, Ciudad Estado del Vaticano

Figure 19
Adoration of the Magi
Borgia collection, 15th-16th century
Tempera on wood
84 x 70 cm
33 x 27 1/2 inches
Congregation for the Evangelization of Peoples, Vatican City State

Adoración de los Magos
Siglos 15-16
Colección Borgia
Témpera sobre madera
Congregación para la Evangelización de los pueblos, Ciudad Estado del Vaticano

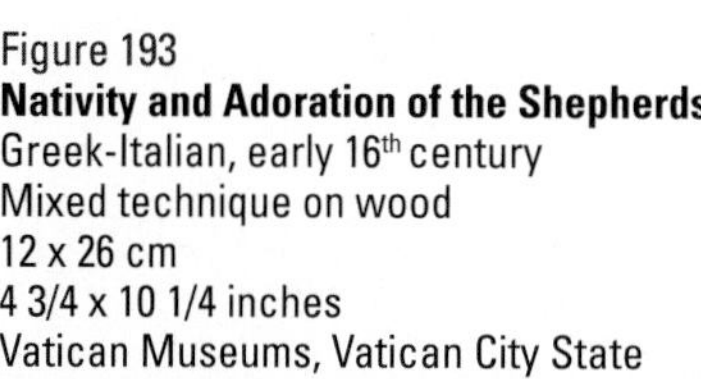

Figure 193
Nativity and Adoration of the Shepherds
Greek-Italian, early 16th century
Mixed technique on wood
12 x 26 cm
4 3/4 x 10 1/4 inches
Vatican Museums, Vatican City State

Nacimiento y Adoración de los pastores
Principios del siglo 16
"Madonnaro" artista Greco-Italiano
Técnicas mixtas sobre madera
Congregación para la Evangelización de los pueblos, Ciudad Estado del Vaticano

Figure 15
Saint John the Baptist
15th-16th century (side panel of a triptych)
Marcantonio Aquili (1465-1526)
158 x 44 cm
62 1/4 x 17 3/8 inches
Congregation for the Evangelization of Peoples, Vatican City State

San Juan Bautista
Siglos 15-16 (Porción lateral de un tríptico)
Marcantonio Aquili (1465-1526)
Témpera sobre madera
Congregación para la Evangelización de los pueblos, Ciudad Estado del Vaticano

Figure 195
The Holy Family with Saint Elizabeth and Saint John the Baptist
16th-17th century
Candid, Pieter de Witte (1548 ca.-1628)
Oil on wood
127 x 97 cm
50 x 38 1/4 inches
Vatican Museums, Vatican City State

La Sagrada Familia con Santa Isabel y San Juan Bautista
Siglos 16 y 17
Pieter Candid (Pieter de Witte)
(1548 aprox.-1628)
Óleo sobre madera
Museos Vaticanos, Ciudad Estado del Vaticano

Figure 194
The Flagellation of Christ
Girolamo Muziano
Early 16th century
Oil on canvas
136 x 84 cm
53 1/2 x 33 inches
Vatican Museums, Vatican City State

La Flagelación de Cristo
Girolamo Muziano
Principios del siglo 16
Óleo sobre lienzo
Museos Vaticanos, Ciudad Estado del Vaticano

Figure 181
Portrait of Christ with Crown of Thorns
Giovanni Francesco Barbieri,
known as Guercino (1591-1666, Bologna)
17th century
Oil on silk
65 x 45 cm
44 x 38 inches
Private Collection, Vatican City State

Retrato de Cristo con corona de espinas
Siglo 17
Guercino (Giovanni Francesco Barbieri, 1591-1666, Bolonia)
Óleo sobre lienzo de seda
Colección privada, Ciudad Estado del Vaticano

Figure 17
The Crucifixion
School of Leonard Bramer (1596-1674)
17th century
Oil on canvas
50 x 79.5 cm
19 5/8 x 31 3/8 inches
Congregation for the Evangelization of Peoples, Vatican City State

La Crucifixión
Siglo 17
Escuela de Leonard Bramer (1596-1674)
Congregación para la Evangelización de los Pueblos, Ciudad Estado del Vaticano

Figure 21
Deposizione della croce (Deposition from the Cross)
16th-17th century
Federico Fiori (known as Il Barocci)
1528-1612
Oil on copper
64 x 51 cm
25 1/4 x 20 inches
Private Collection, Vatican City State

Descenso de la cruz
Siglos 16-17
Federico Fiori (conocido como Il Barocci)
1528-1612
Óleo sobre cobre
Colección Privada, Ciudad Estados del Vaticano

Figure 192
Jesus taken from the Sepulcher
Late 16th century
Domenico Monio (1550-1602)
Oil on canvas
76 x 70 cm
30 x 27 1/2 inches
Vatican Museums, Vatican City State

Jesús es tomado del Sepulcro
Finales del Siglo 16
Domenico Monio (1550-1602)
Óleo sobre lienzo
Museos Vaticanos, Ciudad Estado del Vaticano

Figure 18
The Supper of Emmaus
1590-1620
Workshop of Francesco or Leandro Bassano
Oil on canvas
Congregation for the Evangelization of Peoples, Vatican City State

La Cena de Emaús
1590-1620
Taller de Francesco o Leandro Bassano
Óleo sobre lienzo
Congregación para la Evangelización de los Pueblos, Ciudad Estado del Vaticano

Figure 8
Portrait of Saint Peter
Oil on canvas
52 x 42 cm
20 1/2 x 16 1/2 inches
Congregation for the Evangelization of Peoples, Vatican City State

Retrato de San Pedro
Óleo sobre lienzo
Congregación para la Evangelización de los Pueblos, Ciudad Estado del Vaticano

Figure 26
Painting of Saint Peter
19th century
Raffaele Capo
Oil on canvas
136.5 x 136.5 cm
53 3/4 x 53 3/4 inches
The Reverenda Fabbrica of Saint Peter, Vatican City State

Pintura de San Pedro
Siglo 19
Raffaele Capo
Óleo sobre lienzo
La Reverenda Fabbrica de San Pedro, Ciudad estado del Vaticano

Figure 23
Reliquary of Saint Peter and other Saints
1888 (Rome)
Silver, wood
52 x 31 x 13 cm
20 1/2 x 12 1/4 x 5 1/8 inches
Office of the Liturgical Celebrations of the Supreme Pontiff, Vatican City State

Relicario de San Pedro y otros Santos
1888
Roma
Plata/Madera
Oficio de Celebraciones Litúrgicas del Sumo Pontífice, Ciudad Estado del Vaticano

Figure 187
Brandeum (fragment of a bag with "Samson and the lion")
7th-8th century
19.7 x 16.4 cm
7 3/4 x 6 1/2 inches
From the treasure of the "Sancta Sanctorum"
Cloth
Vatican Museums, Vatican City State

Brandeum (Fragmento de un bolsillo con "Sansón y el león")
Siglos 7-8
Del tesoro de "Sancta Sanctorum"
Vestuario
Museos Vaticanos, Ciudad Estado del Vaticano

Figure 9
Portrait of Saint Paul
Oil on canvas
53 x 43 cm
20 7/8 x 17 inches
Congregation for the Evangelization of Peoples, Vatican City State

Retrato de San Pablo
Óleo sobre Lienzo
Congregación para la Evangelización de los Pueblos, Ciudad Estado del Vaticano

Figure 10
Mosaic Fragment with Image of Saint Paul the Apostle
ca. 799 (restored by Giovanni Battista Calandra in 1625)
Rome from Lateran Triclinium - Mosaic
59.7 x 39.7 x 9 cm
23 1/2 x 15 5/8 x 3 1/2 inches
Vatican Museums, Vatican City State

Fragmento de mosaico con imagen de San Pablo el apóstol
Aprox. 799 (restaurado por Giovanni Batista Calandra en 1625)
Roma, Triclinium de Letrán - Mosaico
Museos Vaticanos, Ciudad Estado del Vaticano

Figure 196
Portrait of Apostle
Oil on canvas
73 x 59 cm
28 3/4 x 23 1/4 inches
Vatican Museums, Vatican City State

Retrato de un apóstol
Óleo sobre Lienzo
Museos Vaticanos, Ciudad Estado del Vaticano

Figure 197
Portrait of Apostle
Oil on canvas
73 x 59 cm
28 3/4 x 23 1/4 inches
Vatican Museums, Vatican City State

Retrato de un apóstol
Óleo sobre Lienzo
Museos Vaticanos, Ciudad Estado del Vaticano

Figure 207
Portrait of a Prophet
Late 17th century
67 x 50 cm
26 3/8 x 19 3/4 inches
Apostolic Floreria, Vatican City State

Retrato de un Profeta
Finales del siglo 17
Óleo sobre lienzo
Florería Apostólica Ciudad Estado del Vaticano

Figure 191
Male head (Saint Luke the Evangelist)
ca. 1230
Roman school
Mosaic fragment
85.6 x 67 cm
33 3/4 x 26 3/8 inches
Vatican Museums, Vatican City State

Cabeza masculina (San Lucas, el evangelista)
Aprox. 1230
Escuela Romana
Fragmento de Mosaico
Museos Vaticanos, Ciudad Estado del Vaticano

Figure 11
Statue of Saint Peter
Early 19th century
Workshop of Bernini
Gilt wood
60 x 30 x 20 cm
23 5/8 x 11 7/8 x 7 7/8 inches
Office of the Liturgical Celebrations of the Supreme Pontiff, Vatican City State

Estatua de San Pedro
Principios del siglo 19
Taller de Bernini
Madera bañada en oro
Oficio de Celebraciones Litúrgicas del Sumo Pontífice, Ciudad Estado del Vaticano

Figure 12
Statue of Saint Paul
Early 19th century
Workshop of Bernini
Gilt wood
60 x 30 x 20 cm
23 5/8 x 11 7/8 x 7 7/8 inches
Office of the Liturgical Celebrations of the Supreme Pontiff, Vatican City State

Estatua de San Pablo
Principios del siglo 19
Taller de Bernini
Madera bañada en oro
Oficio de Celebraciones Litúrgicas del Sumo Pontífice, Ciudad Estado del Vaticano

Figure 13
Statue of Saint John
Early 19th century
Workshop of Bernini
Gilt wood
60 x 30 x 20 cm
23 5/8 x 11 7/8 x 7 7/8 inches
Office of the Liturgical Celebrations of the Supreme Pontiff, Vatican City State

Estatua de San Juan
Principios del siglo 19
Taller de Bernini
Madera bañada en oro
Oficio de Celebraciones Litúrgicas del Sumo Pontífice, Ciudad Estado del Vaticano

Figure 14
Statue of Saint Andrew
Early 19th century
Workshop of Bernini
Gilt wood
60 x 30 x 20 cm
23 5/8 x 11 7/8 x 7 7/8 inches
Office of the Liturgical Celebrations of the Supreme Pontiff, Vatican City State

Estatua de San Andrés
Principios del siglo 19
Taller de Bernini
Madera bañada en oro
Oficio de Celebraciones Litúrgicas del Sumo Pontífice, Ciudad Estado del Vaticano

The Mandylion of Edessa

The Mandylion formed the central exhibit in the Vatican Pavilion at the World Expo in Hanover in 2000. Nothing could have better expressed what anniversary was being celebrated in 2000, or what is the yardstick for the time-reckoning of Westem civilization, than this image of Christ, which is considered the oldest known representation of Jesus. That this message was successfully disseminated was shown by the reports in the press and on television on the arrival of the spectacular image from the papal reliquary-chapel in the Vatican. The interest aroused by the image among students and scholars, and the spiritual questions it posed, testify, moreover, that the dialogue on the Mandylion proved fruitful on that occasion.

The Mandylion belongs to those legendary images supposedly not painted by human hand, described in Greek as Acheiropoietoi. Various literary and historiographical traditions have developed since its first appearance in the sixth century.

One explanation of the image is that, like the handkerchief of Saint Veronica, it is a physical impression made by the face of Jesus on a cloth, hence its name Mandylion, or "holy towel." Another concerns the story of Abgar V, king of Edessa, who was dying of an incurable disease. He had heard of Christ's deeds and so sent his secretary and court painter Ananias to invite him to court. Though Jesus was unable to accede to the request, he instructed his disciple Thaddeus to go in his stead to the king. This was not enough for Ananias, who also painted a portrait of Jesus and brought this image along with a

Figure 24
The Mandylion of Edessa
3rd to 5th century
(frame: Francesco Comi, 1623)
Tempera on linen attached to wood
Silver, gold, various stones
Office of the Liturgical Celebrations of the Supreme Pontiff, Vatican City State

El Mandylion (manto) de Edessa
Siglos 3 a 5
(marco: Francesco Comi, 1623)
Témpera sobe lino en madera
Plata, oro y otras gemas
Oficio de Celebraciones Litúrgicas del Sumo Pontífice, Ciudad Estado del Vaticano

El Mandylion de Edessa

El Mandylion constituyó el enfoque central en el Pabellón del Vaticano en la Exposición Mundial de Hanover en el 2000. No podría haber una expresión mejor del aniversario que se estaba celebrando en el 2000, que esta imagen de quien es punto de referencia para el cálculo del tiempo de la civilización occidental, la representación más antigua de Jesús. La diseminación exitosa de este mensaje queda demostrada por los informes de prensa y de televisión sobre la llegada de la imagen espectacular de la capilla relicaria en el Vaticano. El interés que despertó la imagen entre estudiantes y eruditos, y las interrogantes espirituales que planteaba, dan fe, además, de que el diálogo sobre el Mandylion resultó exitoso en esa ocasión.

El Mandylion pertenece a esas imágenes legendarias, supuestamente no pintadas por manos humanas, descritas en griego como Acheiropoietoi. Varias tradiciones literarias e historiográficas han sido desarrolladas desde su primera aparición en el siglo sexto. Una explicación de la imagen asegura que, tal como el pañuelo de Santa Verónica, es una impresión física hecha por la cara de Jesús sobre una tela, de ahí su nombre de Mandylion, o "manto". Otra es la de la historia de Abgar V, rey de Edessa, cuando fallecía de una enfermedad incurable. Él había oído hablar de las hazañas del Cristo, por lo que envió a su secretario y pintor Ananías para que invitase a Jesús a venir a la corte. Aunque Jesús no pudo acceder a su petición, dio instrucciones a su discípulo Tadeo para que fuese en su lugar a ver al rey. Esto no satisfizo a Ananías, por lo que pintó un retrato de Jesús y con esta imagen, así como una carta suya a su soberano,

letter from him back to his sovereign, who was cured. Abgar accorded the image a place of honor in his palace, and devotion to it increased. So highly was it venerated that, after it was transferred to Constantinople in 944 together with the letter, it became the Palladium, or banner, of the capital of the Byzantine Empire. It may have been incorporated into a tenth-century triptych, the side panels of which, now in the monastery of Saint Catherine on Mount Sinai, illustrate the Abgar legend. There the king is given the features of Emperor Constantine VII Porphyrogenitos, who had the important relic transferred to Constantinople and instituted a special feast day in its honor.

Following the Venetian conquest of Constantinople in 1204 and the transfer of the Mandylion to the West, its history becomes more obscure. Various traditions emerged. One reports that it had been looted from the palace chapel of Pharos and taken to the West. Another holds that Emperor Baldwin II donated or sold the precious image in 1247; it eventually became the treasured possession of the French king Louis IX, who ordered that it be kept in Sainte-Chapelle in Paris, where it is found mentioned until 1792. Yet a third Mandylion was donated by the Byzantine emperor John V to the Genoese captain Lionardo Montaldo in 1362. After Montaldo's death in 1384, the image was bequeathed to the church of S. Bartolomeo degli Armeni in Genoa, in 1388, where it still remains.

All three traditions that emerged after 1204 are associated with a different image of the Mandylion. Of these, the one in Paris has been lost since 1792, and no information about its appearance has survived. The version in the Vatican and the one in Genoa are almost wholly identical in their representation, form, technique, and measurements. Indeed, they must at some point in their history have crossed paths, for the rivet holes that surround the Genoese image coincide with those that attach the Vatican Mandylion to the cut-out sheet of silver that frames the image. It sheaths the whole panel to which the linen cloth is affixed, only exposing Christ's face. So this silver frame, or one like to it, must also have originally covered the panel in Genoa. The Genoese Mandylion is now contained in a gilt-silver enameled frame in the Palaeologan style of the fourteenth century. The Roman Mandylion, which Pope Pius IX removed to the Vatican just before the conquest of the city by Garibaldi's forces in 1870, is first mentioned by Cesare Baronio in 1587. It was then in the convent of the Poor Clares at San Silvestro in Capito. Its previous whereabouts remain obscure.

consiguió su curación. Abgar reservó un lugar de honor en su palacio para la imagen y la devoción a la misma aumentó. La veneración fue tan grande que, después de su transferencia a Constantinopla en 944, junto con la carta, se convirtió en el Paladín, o estandarte, del Imperio Bizantino. Tal vez fue incorporado en un tríptico del siglo X, cuyos bastidores laterales, que ahora se encuentran en el Monasterio de Santa Catalina en el Monte Sinaí, ilustran la leyenda de Abgar. Allí, se le ha dado al rey los rasgos de Emperador Constantino VII Porphyrogenitos, quien mandó transferir la importante reliquia a Constantinopla e instituyó un día de fiesta especial en su honor.

A raíz de la conquista del triunfo de Venecia sobre Constantinopla en 1204 y la transferencia del Mandylion a Occidente, su historia se vuelve más confusa. Surgen varias tradiciones. Una de ella relata que fue robada de la capilla del palacio de Pharos y llevada a Occidente. Otra sostiene que el Emperador Balduino II donó o vendió la preciosa imagen en 1247. Finalmente se convirtió en el tesoro más preciado del rey francés Luis XI, quien ordenó que fuera conservada en la Santa Capilla en París, donde se menciona hasta 1792. Otro tercer Mandylion fue donado por el emperador Bizantino Juan V al capitán genovés Lionardo Montaldo en 1362. Tras la muerte de Montaldo en 1384, la imagen fue legada en 1388 a la iglesia de S. Bartolomeo degli Armeni en Génova, donde aun se encuentra.

Las tres tradiciones que surgieron después de 1204 se relacionan a una imagen distinta del Mandylion. De éstas, la de París está perdida desde 1792 y no sobrevivió ninguna información sobre su apariencia. La versión del Vaticano y la de Génova son casi idénticas en su representación, forma, técnica y medidas. En efecto, en algún momento en su historia deben haberse cruzado en el camino, puesto que los orificios de los remaches que rodean la imagen genovesa coinciden con los que fijan el Mandylion del Vaticano a la hoja de plata recortada que cubre la imagen.

Por lo tanto, este marco de plata, o uno parecido, debe haber cubierto originalmente el bastidor en Génova. El Mandylion genovés ahora está dentro de un marco esmaltado de plata dorada en el estilo Palaelogano del siglo catorce. El Mandylion romano que fue llevado al Vaticano por Papa Pío IX, justo antes de la conquista de la ciudad por las fuerzas de Garibaldi en 1870, es mencionado por primera vez en 1587 por Cesare Baroni. Se encontraba en aquel entonces en el convento de las

The observations about the two Mandylia, and the extant historical data about the fortunes of both, have been combined into a suggestive hypothesis: namely, that the Mandylion in the Vatican is a later replica of the one now in Genoa; that it was produced in the fourteenth century, when the Genoese version, which can be dated back to the tenth century, was given its existing Palaeologan frame; and that it was then placed in the silver frame of the older version. Many questions about such an hypothesis remain unanswered, however.

These doubts were increased by the findings of analyses conducted on the Roman version in the Vatican Museums' chemistry and painting restoration laboratory in early summer 1996. During its restoration, the image was removed from its baroque reliquary, taken out of its silver frame, and detached from the wooden support onto which the linen cloth had been glued. The seal of Pope Pius IX, who had evidently given instructions for the baroque reliquary to be opened in 1870, was then found fastening the silver-sheet frame, which was commissioned by Sister Dionora Chiarucci, mother superior of Poor Clares at San Silvestro in Capito, and made by Francesco Comi in 1623. All the laboratory analyses conducted in 1996 used nondestructive methods, and no original samples of the image were removed for systematic tests; only loose particles on the edge of the image were analyzed, which were not by their very nature conclusive. It was not possible, for instance, chemically to ascertain the binding agent of the pigments or scientifically to confirm the conclusion reached by autopsy that the painting had been executed in tempera. The painted face of Christ was found on a cut-out linen cloth below the above-described silver-sheet frame, its contours exactly following the contours of the image itself. After the painting of the image had been completed it was glued onto a panel of cedar, which could not be specified or dated in any further detail. These findings do not contradict an Anatolian or Syrian origin. The surface, to which the linen cloth was glued, was hewn into the wood with rudimentary tools, as the two raised ledges round the edge of the panel form part of the same block of wood as the panel itself. Residues of the glue and traces of the imprints left in it by the horizontal woven threads of the fine linen cloth could also be detected. The thin layer of pigment showed no traces of overpainting. Only the brownish hue that has given the image its characteristic dark impression was produced by a subsequently applied substance, which was also ascertainable in the fine craquelure and in the small areas of color loss. The overall state of conservation was

Clarisas en San Silvestre in Capito. Nada se sabe de su paradero anterior.

Las observaciones sobre los dos Mandyliones y los datos históricos que existen sobre el destino de ambos han sido combinadas en una hipótesis sugestiva: es decir, que el Mandylion existente en el Vaticano es una réplica posterior del que está ahora en Génova, el cual fue producido en el siglo catorce y recibió su marco Palaologano actual, el cual luego fue puesto en el marco plateado de la versión más antigua. Sin embargo, muchos interrogantes sobre tal hipótesis quedan sin respuesta.

Estas dudas aumentaron con las conclusiones de los análisis llevados a cabo sobre la versión romana a principios del verano de 1996 en el laboratorio de química y de restauración de pinturas del museo del Vaticano. Durante la restauración, la imagen fu retirada de su relicario barroco, sacada de su marco plateado, y desprendida del soporte de madera sobre el cual había sido pegado el lienzo. El sello del Papa Pio IX, quien evidentemente había dado instrucciones para la apertura del relicario barroco en 1870, fue luego encontrado sobre el marco plateado, trabajo comisionado por la Hermana Dionora Chiarucci, madre superiora del Convento de Las Clarisas en San Silvestro in Capito y confeccionado por Francesco Comi en 1623. En todos los análisis de laboratorio llevados a cabo en 1996 se usaron métodos no destructivos, y no se quitaron las muestras originales de la imagen para pruebas sistemáticas. Se analizaron únicamente partículas sueltas en el borde de la imagen, y los análisis por su propia naturaleza no fueron concluyentes. No fue posible, por ejemplo, determinar químicamente la naturaleza adherente de los pigmentos, ni confirmar científicamente la conclusión lograda por autopsia que la pintura había sido ejecutada en témpera. La cara pintada de Cristo fue encontrada en un lienzo colocado por debajo del marco de hoja de plata descrito anteriormente. Sus contornos siguen exactamente los de la imagen misma. Después de terminar de pintar la imagen, se pegó sobre un panel de cedro y no pudo ser especificada la fecha de manera más detallada. Estas determinaciones no contradicen un origen anatoliano o sirio. La superficie sobre la cual se adhirió el lienzo estaba labrada en la madera con herramientas rudimentarias, ya que los dos rebordes forman parte del mismo bloque de madera que el panel mismo. También se pudieron detectar residuos de la pega y trazas de las huellas dejadas en él por los hilos horizontales de la fina tela de lino. La delgada capa de pigmento no mostraba trazas de haber sido pintada

excellent. It was especially remarkable that alterations in the execution of the nose, mouth, and eyes could be observed in the x-rays and thermographic and reflectographic photographs. In the area of the nose these alterations could be clearly interpreted as a pentimento, or correction, as the nose had originally been shorter, so that the image originally must have had a different physiognomy.

The above observations on the state of conservation, and on the technique and process of execution, make it more difficult to interpret the Vatican Mandylion as a mere copy of the Genoese version, in which the features were undoubtedly fixed. The findings of the scientific investigation are also compatible with a more general observation, namely, that the Vatican Mandylion is more vigorous in expression than the more finished, almost mannered or iconically more conventional version in Genoa. Whether its stylistic affinity with East Syrian painting of the third century is sufficient to enable the Vatican Mandylion to be traced back to the very origins of the literary tradition, or whether, in spite of its more forceful character, its kinship with the Genoese version points rather to a parallel creation in the tenth century, is difficult to determine on present evidence.

Although the Mandylion is no longer enveloped today by any legend of its origin as an image made without the intervention of human hands, it continues to exert great fascination on all those who come into contact with it. The answers that these legends once gave lent the image an aura and turned it into a relic. This former certainty, and the clear explanations that devotion once gave, have now given way to the questions posed by modern science. These questions only underline the complexity of the object of research and, in spite of all the technical facilities available, remain for the most part unanswered. In our contemplation of it they arouse in us – perhaps even more powerfully and in a way more suited to our times – a debate on the origin of the likeness of Jesus of Nazareth and on the question of his humanity that is bound up with it. However one may interpret the Mandylion, it remains of central importance for our understanding of Western culture; in that lies the value of any reflection on it. AN

por encima. El tono marrón que la daba a la imagen su característica impresión oscura era producido por una sustancia aplicada posteriormente, lo cual se pudo determinar por los diminutos resquebrajamientos y por la pérdida de color en algunos puntos. El estado general de conservación era excelente. Lo que sorprendía especialmente era que las alteraciones en la nariz, la boca y los ojos podían observarse en las radiografías y en las fotos termográficas y reflectográficas. En la región de la nariz estas alteraciones podían interpretarse claramente como un pentimento, o corrección, puesto que la nariz había sido más corta, es decir, la imagen original debió haber tenido una fisonomía distinta.

Las observaciones anteriores sobre el estado de conservación y la técnica y el proceso de ejecución dificultan aún más la interpretación de que el Mandylion del Vaticano es una mera copia de la versión genovesa, en la cual los rasgos eran indudablemente ajustados. Las conclusiones a las que llegaron las investigaciones científicas también son compatibles con una observación más general, es decir, que el Mandylion del Vaticano tiene una expresión más enérgica que la versión de Génova, la cual es más acabada, casi acomodada, a la manera de un icono. Con las pruebas disponibles actualmente es difícil determinar si su afinidad de estilo con la pintura de Siria oriental del siglo III es suficiente para afirmar que el Mandylion del Vaticano se remonta a los mismos orígenes de la tradición literaria, o si, a pesar de su carácter más enérgico, su parecido con la versión genovesa apunta más bien hacia una creación paralela del siglo X.

Aunque hoy en día el Mandylion ya no está rodeado de leyenda alguna sobre su origen como imagen creada sin intervención humana, aún ejerce una gran fascinación sobre todos aquellos que entran en contacto con él. Las respuestas que ofrecieron estas leyendas antiguamente le convirtieron en una reliquia. Esta certeza en el pasado y las claras explicaciones que la devoción solían dar, cedió ante las preguntas de la ciencia moderna. Estas interrogantes no hacen sino acentuar la complejidad del objeto de la investigación y, a pesar de todas la facilidades técnicas de que se dispone, permanecen mayormente sin respuesta. Cuando la contemplamos, hace que surja en nosotros – tal vez con más fuerza y de una manera más adaptada a nuestra época – una mayor curiosidad sobre el origen de la imagen de Jesús de Nazaret y sobre la cuestión de humanidad vinculada a ella. Sea cual fuere la interpretación del Mandylion, sigue siendo de importancia central para nuestra compresión de la cultura occidental; y ahí reside el valor de la reflexión sobre el tema. AN

Figure 182
Statue of Angel with Crown of Thorns
Early 19th century
Wood
56 cm high
22 inches high
Office of the Liturgical Celebrations of the Supreme Pontiff, Vatican City State

Estatua de Ángel con Corona de Espinas
Principios del siglo 19
Madera
Oficio de Celebraciones Litúrgicas del Sumo Pontífice, Ciudad Estado del Vaticano

Figure 183
Statue of Angel with Shroud
Early 19th century
Wood
56 cm high
22 inches high
Office of the Liturgical Celebrations of the Supreme Pontiff, Vatican City State

Estatua de Ángel con Mortaja
Principios del siglo 19
Madera
Oficio de Celebraciones Litúrgicas del Sumo Pontífice, Ciudad Estado del Vaticano

The Tomb

La Tumba

The Tomb

Sometime during the middle of the first century, the apostle Peter came to Rome. A few years later, probably during the emperor Nero's persecutions of Christians following the fire of 64, he was executed. Tradition has it that he was crucified near the great Egyptian obelisk in Nero's circus and, considering himself unworthy to die in the same manner as Jesus, was hung on the cross upside down. His followers then removed his body and buried it in a nearby Roman cemetery, on Vatican Hill.

In the middle of the 2nd century, a small monument was built over Peter's grave. Here the first Christians, outlawed and persecuted, expressed their devotion to the martyred Peter – the "rock" upon whom their Church would be built.

As the centuries passed, and one and then another great church was built above the tomb of Peter, memory of the location of the tomb began to recede into the shadows of legend. It wasn't until the 20th century, and the culmination of one of the most intriguing archaeological quests ever mounted, that the tomb and its repository of the apostle's bones were identified once again.

This section of the exhibition includes a full-scale reproduction of the second century monument built above Peter's grave and a casting of the tomb's supporting wall and ancient graffiti that supplied a clue to the discovery of Peter's bones. It also includes clay oil lamps found during the excavations of Peter's tomb in the cemetery below Saint Peter's Basilica (visitors to the ancient cemetery would have used these lamps to light their way) and second to fourth century sculptures with Roman and Biblical themes.

La Tumba

Aproximadamente en la mitad del siglo primero, el apóstol Pedro fue a Roma. Pocos años más tarde fue ejecutado, probablemente durante las persecuciones del Emperador Nerón contra los cristianos, después del fuego en el año 64. Según la tradición de entonces fue crucificado cerca al gran obelisco romano en el circo de Nerón aunque, considerándose él mismo indigno de morir de la misma manera que Jesús, fue colgado cabeza abajo. Sus seguidores luego retiraron el cuerpo y en lo enterraron en un cementerio cercano a Roma, en la cima Vaticana.

A mediados del siglo segundo se erigió un pequeño monumento sobre la tumba de Pedro. Fue allí donde los primeros cristianos, ilegales y perseguidos, expresaron su devoción al martirizado Pedro, la "roca" sobre la cual su iglesia sería construida.

Con el paso de los siglos, primero una y luego otra gran iglesia, fueron construidas sobre la tumba de Pedro hasta que la memoria del lugar exacto empezó a perderse en las sombras de la leyenda. No fue hasta el siglo 20, con la culminación de una de las búsquedas arqueológicas más fascinantes, que la tumba y el repositorio con los huesos del apóstol fueron nuevamente identificados.

Esta parte de la exhibición incluye una reproducción a escala real del monumento construido sobre la tumba de Pedro en el siglo segundo y una muestra del muro de soporte de la tumba, así como un antiguo graffiti que proporcionó la clave para el descubrimiento de los huesos de Pedro. Incluye además lámparas de aceite hechas de barro encontradas durante la excavación de la tumba de Pedro en el cementerio debajo de la basílica de San Pedro (los visitantes a la antigua tumba debieron usarlas para iluminar su camino), así como esculturas de los siglos segundo al cuarto con temas bíblicos y romanos.

Figure 1
Plaster fragment cast of the "red wall" in the Vatican Scavi, with graffito "Petros eni" (Peter is here)
Plaster
7x 4 x 1.8 cm
2 3/4 x 1 1/2 x 3/4 inches
The Reverenda Fabbrica of Saint Peter,
Vatican City State

Fragmento del emplaste moldeado del "muro rojo" en la excavación del Vaticano con las palabras "Petros eni" (Pedro está aquí)
Yeso
La Reverenda Fabbrica de San Pedro,
Ciudad estado del Vaticano

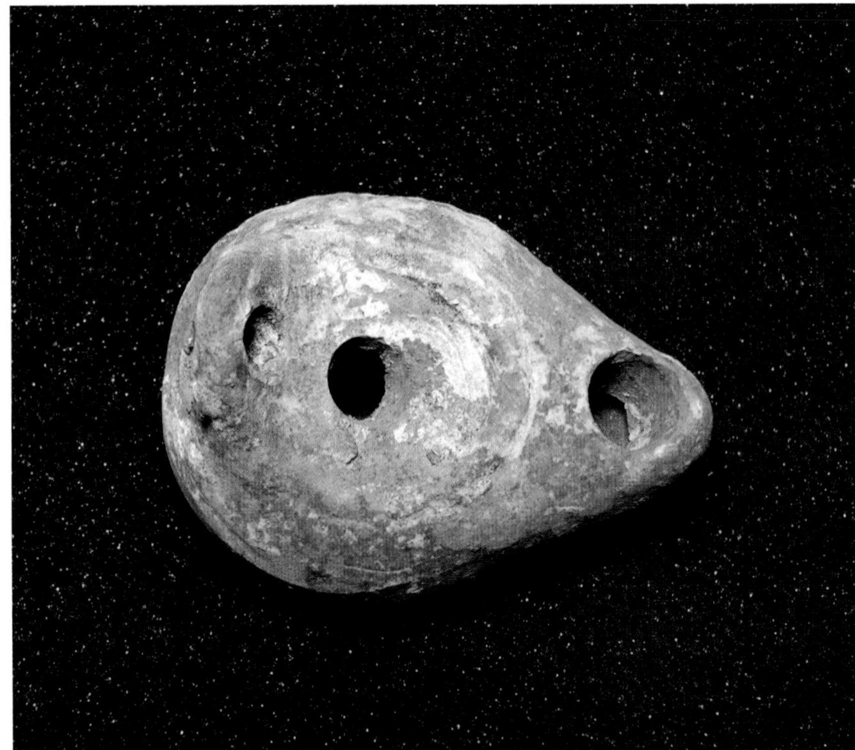

Figure 2
Oil lamps coming from the Vatican Necropolis excavations
Clay
The Reverenda Fabbrica of Saint Peter,
Vatican City State

Lámparas de aceite de las excavaciones de la necrópolis en el Vaticano
Barro
La Reverenda Fabbrica de San Pedro,
Ciudad estado del Vaticano

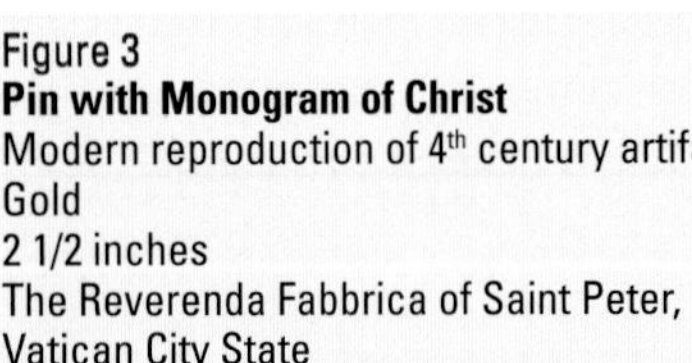

Figure 3
Pin with Monogram of Christ
Modern reproduction of 4th century artifact
Gold
2 1/2 inches
The Reverenda Fabbrica of Saint Peter,
Vatican City State

Sujetador con Monograma de Cristo
Reproducción moderna de un artefacto del siglo 4
Oro
La Reverenda Fabbrica de San Pedro,
Ciudad estado del Vaticano

Figure 4
Votive Plaque from Tomb of Saint Peter
Modern reproduction of 6th–7th century artifact
Gold
Reverenda Fabbrica of Saint Peter, Vatican City State

Placa relativa a Tumba de San Pedro
Reproducción moderna de un artefacto de los siglos 6 al 7
Oro
La Reverenda Fabbrica de San Pedro, Ciudad estado del Vaticano

Figure 208
Glass Medallion with Gold-Leaf Image of Saint Peter and Saint Paul
4th century
Roman
Glass, gold leaf
9.3 x 9.3 cm
3 5/8 x 3 5/8 inches
Vatican Museums, Vatican City State

Medallón de cristal con imagen en hoja de oro de San Pedro y San Pablo
Siglo 4
Romano
Cristal, hoja de oro
Museos Vaticanos, Ciudad Estado del Vaticano

Figure 198
Head of Hadrian
127 A.D.
Marble
41 x 22 cm
16 1/8 x 8 5/8 inches
Vatican Museums, Vatican City State

Cabeza de Adriano
127 D.C.
Mármol
Museos Vaticanos, Ciudad Estado del Vaticano

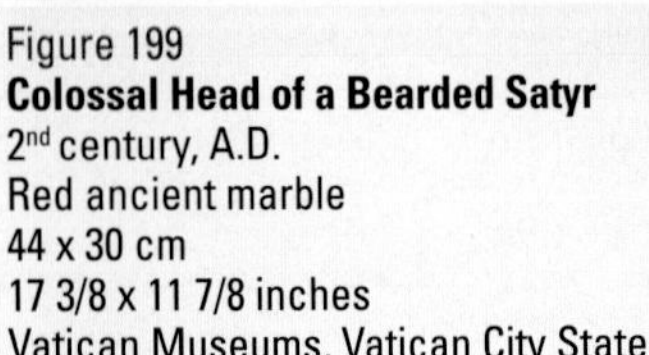

Figure 199
Colossal Head of a Bearded Satyr
2nd century, A.D.
Red ancient marble
44 x 30 cm
17 3/8 x 11 7/8 inches
Vatican Museums, Vatican City State

Cabeza colosal de un sátiro con barba
Siglo 2 D.C.
Antiguo mármol rojo
Museos Vaticanos, Ciudad Estado del Vaticano

Figure 204
The Nativity
370-400 A.D.
Fragment of Attic sarcophagus
Marble
31 x 18 cm
12 1/4 x 7 inches
Vatican Museums, Vatican City State

La Natividad
370-400 D.C.
Fragmento del ático de un sarcófago
Mármol
Museos Vaticanos, Ciudad Estado del Vaticano

Figure 205
The Good Sheperd
270-300 A.D.
Fragment of a front of a children's sarcophagus
Marble
31 x 154 x 7 cm
12 1/4 x 60 5/8 x 2 3/4 inches
Vatican Museums, Vatican City State

El buen pastor
270-300 D.C.
Fragmento frontal del sarcófago de un niño
Mármol
Museos Vaticanos, Ciudad Estado del Vaticano

Figure 206
Female figure
3rd century A.D.
Fragment of a sarcophagus
Marble
69 x 34 cm
27 1/8 x 13 3/8 inches
Vatican Museums, Vatican City State

Figura femenina
Siglo tercero D.C.
Fragmento de sarcófago
Mármol
Museos Vaticanos, Ciudad Estado del Vaticano

Figure 6
Etching from the work "Il Tempio Vaticano e la sua origine": View of the Vatican Circus
1694
Paper
46 x 60 cm
18 1/8 x 23 5/8 inches
The Reverenda Fabbrica of Saint Peter, Vatican City State

Grabado del trabajo "Il Tempio Vaticano e la sua origine": Vista del Circo del Vaticano
1694
Papel
La Reverenda Fabbrica de San Pedro, Ciudad estado del Vaticano

The Ancient Basilica

La Antigua Basílica

The Ancient Basilica

At the beginning of the 4th century, the Roman emperor Constantine legalized the struggling Christian religion. Around the year 323 he began to build a church directly above Peter's tomb. He closed the Roman cemetery and had his workmen cut into Vatican Hill, slice off the tops of tombs, build huge supporting walls into them, and backfill with dirt. (He also tore down the nearby circus of the emperor Nero, the traditional site of Peter's crucifixion.) Upon this foundation, Constantine built his basilica. He divided it into five aisles – a central nave and two flanking aisles on each side – with Peter's tomb featured in front of the apse. And to accommodate pilgrims, he built wings on either side of the tomb. These "transepts" became a common feature of later churches.

This was the first Saint Peter's Basilica, the Ancient Basilica. Over the centuries, a series of monuments arose within the Basilica – altars, chapels, oratories, and mausoleums – rich with works by such artists as Giotto di Bondone, the greatest painter of the 14th century.

But by the 15th century, the Ancient Basilica was falling apart. Its walls and columns listed alarmingly, and its roof was in danger of collapse. Pope Nicholas V (1447-1455) set out to save the crumbling basilica. But his planned renovations were never implemented. Eventually, at the beginning of the 16th century, Pope Julius II (1503-1513) concluded that the basilica simply couldn't be salvaged. It must be replaced by a brand new church.

Included in this section are an eighth century mosaic of Saint Peter from the oratory that Pope John VII (705-707) built in the Ancient Basilica, and the Bust of an Angel, a fragment of a large, intricate mosaic commissioned from Giotto sometime after the year 1304.

La Antigua Basílica

A principios del siglo 4, el emperador romano Constantino legalizó a la sufrida religión Cristiana. Alrededor del año 323 empezó a construir una iglesia exactamente encima de la tumba de Pedro. Cerró el cementerio romano e hizo que sus trabajadores perforaran la cima Vaticana retiraran los topes de las tumbas, construyeran inmensos mutros de soporte y rellenaran con tierra (también mandó derrumbar el contiguo circo del emperador Nerón, sitio de la crucifixión de Pedro). Sobre estas bases, Constantino construyó su basílica. La dividió en cinco naves o pasillos – una nave central y dos laterales en cada lado – con la tumba de Pedro destacada al frente del ábside. Para acomodar a los peregrinos construyó alas a ambos lados de la tumba. Estas naves transversales – o transeptos – se convirtieron en características habituales de iglesias posteriores.

Esta fue la primera Basílica de San Pedro, la antigua Basílica. Con el paso de los siglos una serie de monumentos surgió dentro de la basílica – altares, capillas, oratorios y mausoleos – ricos en trabajos de artistas como Giotto di Bondone, el pintor más importante del siglo 14.

Pero ya en el siglo 15, la antigua basílica estaba casi en ruinas. Sus muros y columnas deterioradas y el techo a punto de colapsar. El Papa Nicolás V (1447-1455) se puso a la tarea de salvar la basílica pero sus renovaciones nunca fueron implementadas. Eventualmente, al inicio del siglo 16, el Papa Julio II (1503-1513) concluyó que la basílica no podía ser salvada. Debía ser reemplazada con una nueva iglesia.

En esta sección están incluidos: un mosaico de San Pedro del siglo octavo, parte del oratorio del Papa Juan VII (705-707) construido en la antigua basílica; y el Busto de un Ángel, fragmento de un mosaico grande e intrincado encargado por Giotto después del año 1304.

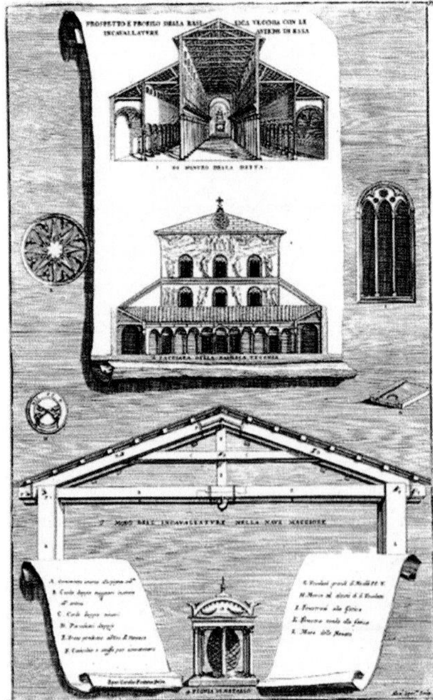

Figure 25
Etching from the work
"Il Tempio Vaticano e la sua origine": Section of the Constantinian Basilica
1694
Carlo Fontana [1634-1714];
Engraving: Alessandro Specchi [1688-1729]
Paper
60 x 46
23 5/8 x 18 1/8 inches
The Reverenda Fabbrica of Saint Peter, Vatican City State

Aguafuerte del trabajo
"Il Tempio Vaticano e la sua origine": Sección de la basílica Consantina
1694
Carlo Fontana [1634-1714]; Grabado: Alessandro Specchi [1688-1729]
Papel
La Reverenda Fabbrica de San Pedro, Ciudad estado del Vaticano

Figure 5
Mosaic from the Oratory of Pope John VII (705-707)
8th Century
Mosaic
65 x 75 x 10 cm
25 1/2 x 29 1/2 x 4 inches
The Reverenda Fabbrica of Saint Peter, Vatican City State

Mosaico del Oratorio del Papa Juan VII (705-707)
Siglo 8
Mosaico
La Reverenda Fabbrica de San Pedro, Ciudad estado del Vaticano

Figure 27
Bust of an Angel
After 1304
Giotto di Bondone [1267?-1337]
Polychrome mosaic
92 x 98 x 6.5 cm
36 1/4 x 38 5/8 x 2 1/2 inches
The Reverenda Fabbrica of Saint Peter, Vatican City State

Busto de un ángel
Posterior a 1304
Giotto di Bondone [1267?-1337]
Policromía en Mosaico
La Reverenda Fabbrica de San Pedro, Ciudad estado del Vaticano

Figure 28
Consignment of the Keys and Healing of the Lame Man from the Ciborium of "Sixtus IV"
Contemporary cast of the 15th century marble relief
Resin and marble dust
121 x 266 x 11.5 cm
47 5/8 x 104 3/4 x 4 1/2 inches
The Reverenda Fabbrica of Saint Peter, Vatican City State

Consignación de las llaves y curación del cojo tomado del ciborio de Sixto IV
Molde contemporáneo de un relieve de mármol del siglo 15
Resina y polvo de mármol
La Reverenda Fabbrica de San Pedro, Ciudad estado del Vaticano

Figure 30
Cast of the right leaf (external side), lower panel of the Filarete Door
21st Century
Burnished Resin
117 x 114 x 5 cm
46 x 45 x 2 inches
The Reverenda Fabbrica of Saint Peter, Vatican City State

Molde de la hoja derecha (lado externo), panel inferior de la puerta de Filarete
Siglo 21
Resina pulida
La Reverenda Fabbrica de San Pedro, Ciudad estado del Vaticano

500 Years of the Vatican: From the Renaissance to the Present Day

500 años del Vaticano del Renacimiento al presente

The Renaissance Basilica: The 500th Anniversary

In the summer of 1505, Pope Julius II set out to build the new Saint Peter's Basilica, commissioning the architect Bramante to "surpass all the other churches in magnificence and grandeur." On April 18, 1506, the pope descended a wobbly rope ladder into one of the foundation ditches to lay the first cornerstone (which became the base of the Veronica pier, one of the columns supporting the dome of the Basilica). On the white marble block was inscribed: "Pope Julius of Liguria in the year 1506, the third of his pontificate, had this Basilica built which was in a state of ruin."

It took more than a century to build the new basilica. Those who succeeded Bramante included Raphael and the lesser-known Antonio da Sangallo, who raised the floor of the new church to its present height. In 1547 Pope Paul III appointed 72-year-old Michelangelo Buonarroti to supervise work on the new basilica. He soon drew up plans for a huge hemispherical dome, larger than had ever before been attempted. He didn't live to see it completed. After Michelangelo's death, his assistant, Giacomo della Porta, lengthened the dome into the ellipsoid shape we see today.

Finally, on Palm Sunday, April 12, 1615, Pope Paul V presented the new Basilica for the admiration of the faithful. One hundred and sixty years had passed since Nicholas V's initial idea to save the Ancient Basilica; twenty-six popes had served on the throne of Saint Peter.

Featured in this section are an architect's compass traditionally considered to belong to Michelangelo and a terracotta sculpture of Daniel in the Lions' Den by the greatest artist of his time, Gian Lorenzo Bernini, who served as chief architect of Saint Peter's from 1629 to 1680. It was Bernini who created the five-story-high canopy of twisting bronze columns for the new basilica. Bernini's "baldacchino" has become one of the grandest symbols of the Vatican—and the unmistakable marker of Saint Peter's tomb, far below.

La Basílica del Renacimiento: El aniversario número 500

En el verano de 1505, el Papa Julio II decidió construir la nueva Basílica de San Pedro. Contrató al arquitecto Bramante para "superar a todas las otras iglesias en magnificencia y grandeza". El 18 de abril de 1506, el Papa descendió por una inestable escalera de soga hasta una de las zanjas para poner la primera piedra (que sería la base del pilar de la Verónica, una de las columnas que soporta el domo de la basílica). En los bloques de mármol blanco se escribió: "El Papa Julio de Liguria en el año 1506, el tercero de su pontificado, hizo construir esta basílica que estaba en ruinas".

Tomó más de un siglo construir la nueva basílica. Entre los que sucedieron a Bramante se cuentan Rafael y el menos conocido Antonio da Sangallo, quien elevó el piso de la nueva iglesia a su altura actual. En 1547 el Papa Pablo III asignó a Michelangelo (Miguel Ángel) Buonarroti, de 72 años, para supervisar el trabajo en la nueva basílica. Inmediatamente dibujó los planos de un domo hemisférico, más grande de lo que jamás se había intentado. No vivió para verlo terminado. Luego de la muerte de Miguel Ángel, su asistente Giacomo Della Porta, extendió el domo hasta tener la forma elipsoide que vemos actualmente.

Finalmente, un Domingo de Ramos, el 12 de abril de 1615, el Papa Pablo V presentó la nueva basílica para admiración de los fieles. Ciento sesenta años habían pasado desde la idea inicial de Nicolás V de la salvar la antigua basílica; 26 Papas habían servido en el trono de San Pedro.

Como destacado en esta sección se encuentra el compás que tradicionalmente se cree perteneció a Miguel Ángel, y una escultura terracota de Daniel en el fozo de los leones del más importante artista de su tiempo, Gian Lorenzo Bernini, arquitecto encargado de la Basílica entre 1629 y 1680. Fue Bernini quien creó la cubierta de cinco pisos de alto con columnas torneadas para la nueva basílica. El "baldacchino" de Bernini se ha convertido en uno de los más grandes símbolos del Vaticano – y la marca inconfundible que señala la tumba de San Pedro.

Figure 31
Etching from the work "Il Tempio Vaticano e la sua origine": Side of the Old Basilica and part of the New One
1694
Carlo Fontana (1634 or 1638-1714)
Engraving: Alessandro Specchi [1688-1729]
Paper
46 x 60 cm
18 1/8 x 23 5/8 inches
The Reverenda Fabbrica of Saint Peter, Vatican City State

Aguafuerte del trabajo "Il Tempio Vaticano e la sua origine": lado de la vieja basílica y parte de la nueva
1694
Carlo Fontana (1634 o 1638-1714)
Grabado: Alessandro Specchi [1688-1729]
Papel
La Reverenda Fabbrica de San Pedro, Ciudad estado del Vaticano

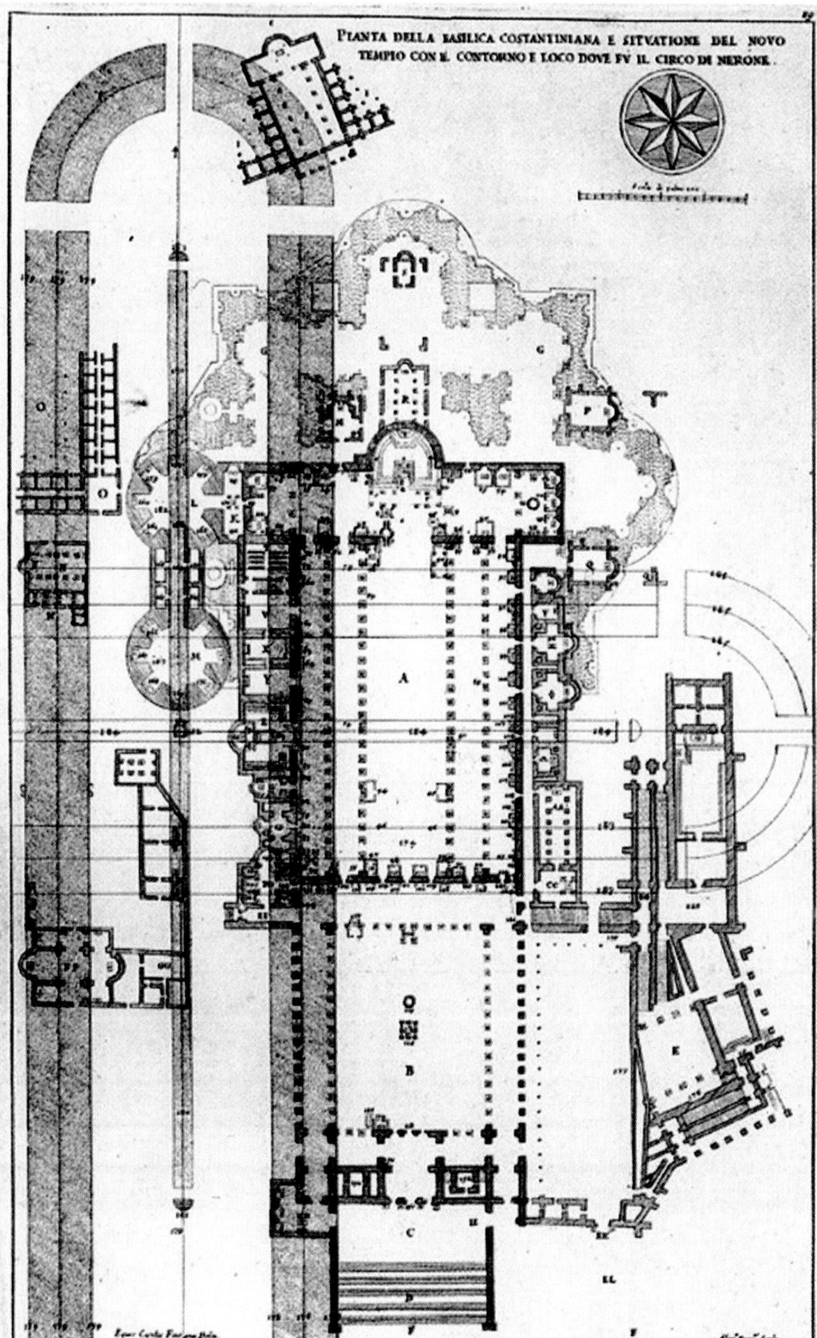

Figure 32
Etching from the work "Il Tempio Vaticano e la sua origine": Plan of the Constantinian Basilica and section of the New Basilica compared with the Circus of Nero location
1694
Carlo Fontana (1634 or 1638-1714)
Paper
60 x 46 cm
23 5/8 x 18 1/8 inches
The Reverenda Fabbrica of Saint Peter, Vatican City State

Aguafuerte del trabajo "Il Tempio Vaticano e la sua origine": Plano de la Basílica Constantina y sección de la nueva basílica comparada con la ubicación del circo de Nerón.
1694
Carlo Fontana (1634 o 1638-1714)
Papel
La Reverenda Fabbrica de San Pedro, Ciudad estado del Vaticano

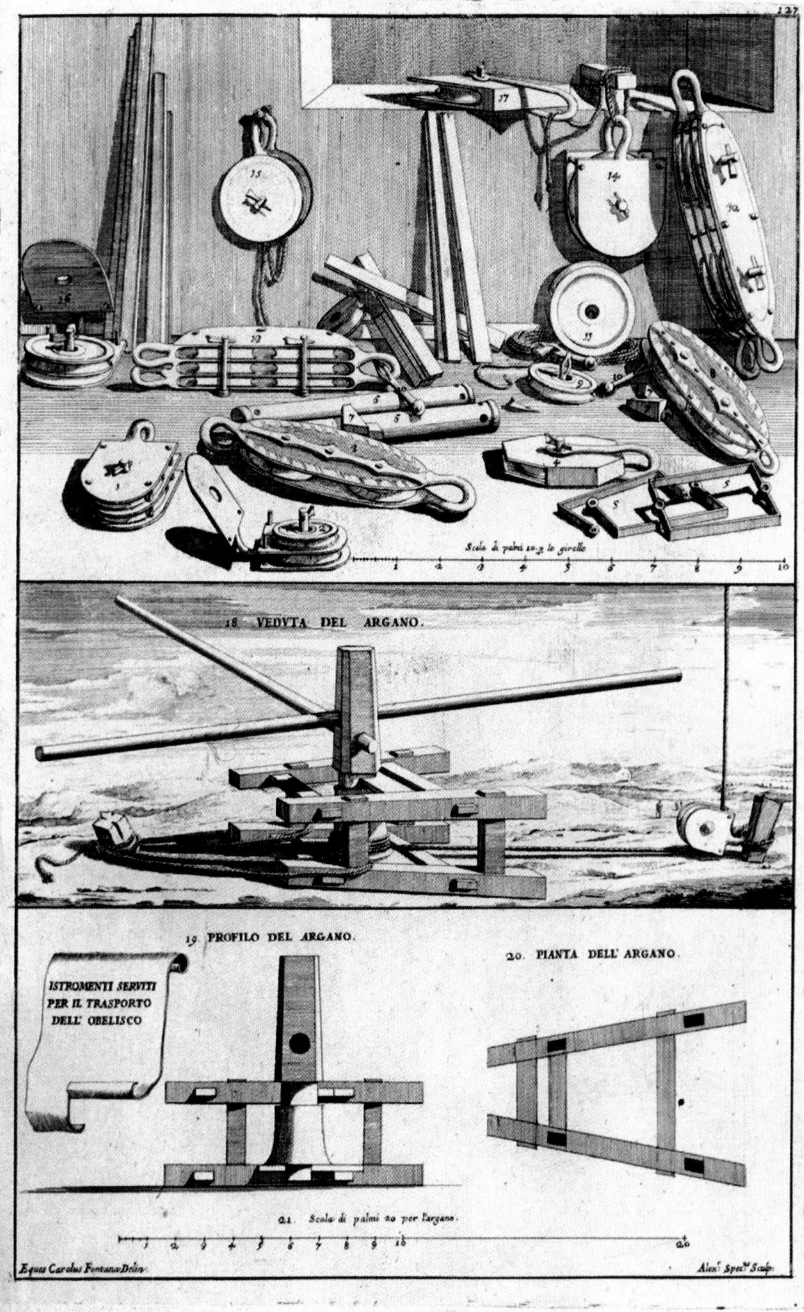

Figure 33
Etching from the work "Il Tempio Vaticano e la sua origine": Hoist and other tools
1694
Carlo Fontana (1634 or 1638-1714)
Paper
60 x 46 cm
23 5/8 x 18 1/8 inches
The Reverenda Fabbrica of Saint Peter, Vatican City State

Aguafuerte del trabajo "Il Tempio Vaticano e la sua origine": Grúa y otras herramientas
1694
Carlo Fontana (1634 o 1638-1714)
Papel
La Reverenda Fabbrica de San Pedro, Ciudad estado del Vaticano

Figure 34
Etching from the work "Il Tempio Vaticano e la sua origine": facade of the Vatican Basilica with its foundations
1694
Carlo Fontana (1634 or 1638-1714)
Paper
60 x 46 cm
23 5/8 x 18 1/8 inches
The Reverenda Fabbrica of Saint Peter, Vatican City State

Aguafuerte del trabajo "Il Tempio Vaticano e la sua origine": Fachada de la Basílica Vaticana con sus bases
1694
Carlo Fontana (1634 o 1638-1714)
Papel
La Reverenda Fabbrica de San Pedro, Ciudad estado del Vaticano

Figure 38
Etching from the work "Il Tempio Vaticano e la sua origine": General view and arrangement of the equipments used to lift up the obelisk
1694
Carlo Fontana (1634 or 1638-1714)
Engraving: Alessandro Specchi [1668-1729]
Paper
64.5 x 73 cm
25 3/8 x 28 3/4 inches
The Reverenda Fabbrica of Saint Peter, Vatican City State

Aguafuerte del trabajo "Il Tempio Vaticano e la sua origine": Vista general y muestra de los equipos usados para levantar el obelisco.
1694
Carlo Fontana (1634 o 1638-1714)
Grabado: Alessandro Specchi [1688-1729]
Papel
La Reverenda Fabbrica de San Pedro, Ciudad estado del Vaticano

Figure 39
Portrait of Pope Sixtus V (1585-1590)
16th century
Roman school
Oil on canvas
74 x 61 cm
29 1/8 x 24 inches
Vatican Museums, Vatican City State

Retrato del Papa Sixto V (1585-1590)
Siglo 16
Escuela Romana
Óleo sobre lienzo
Museos Vaticanos, Ciudad Estado del Vaticano

Figure 41
Etching from the work "Architettura della Basilica di San Pietro in Vaticano.
Opera di Bramante Lazzari, Michel'Angelo Bonarota, Carlo Maderni, e altri famosi architetti": Atrium of the Saint Peter Basilica
1684
Martino Ferrabosco (active 1616-1623)
Print on Paper
68 x 94 cm
26 3/4 x 37 inches
The Reverenda Fabbrica of Saint Peter, Vatican City State

Aguafuerte del trabajo "Architettura della Basilica di San Pietro in Vaticano.
Opera di Bramante Lazzari, Michel'Angelo Bonarota, Carlo Maderni, e altri famosi architetti": Atrio de la Basílica de San Pedro.
1684
Martino Ferrabosco (activo entre 1616-1623)
La Reverenda Fabbrica de San Pedro, Ciudad estado del Vaticano

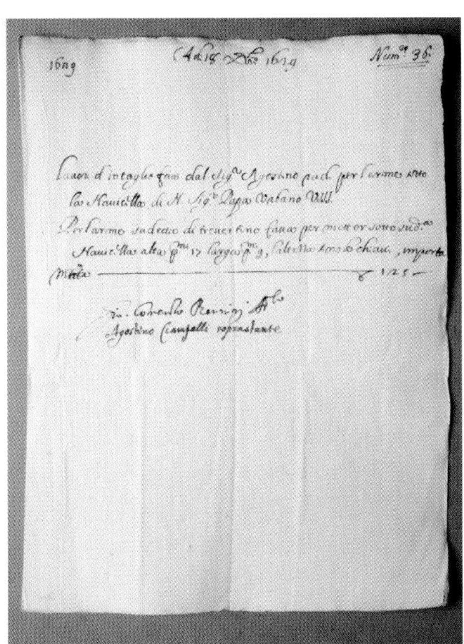

Figure 46
Document signed by Gian Lorenzo Bernini (1598-1680)
1629
Gian Lorenzo Bernini
Paper
30 x 21 cm
11 7/8 x 8 1/4 inches
The Reverenda Fabbrica of Saint Peter, Vatican City State

Documento firmado por Gian Lorenzo Bernini (1598-1680)
1629
Gian Lorenzo Bernini
Papel
La Reverenda Fabbrica de San Pedro, Ciudad estado del Vaticano

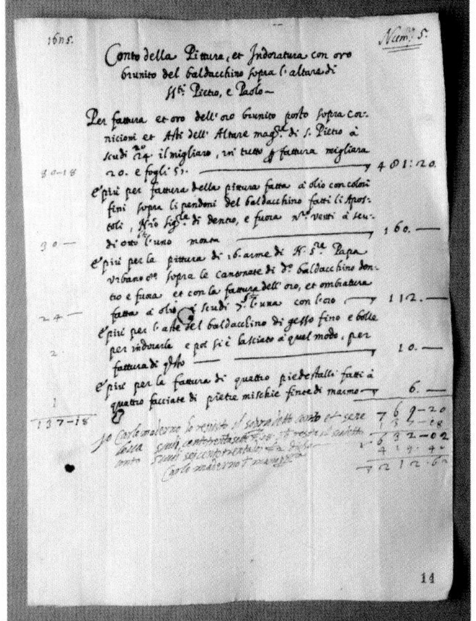

Figure 44
Document signed by Carlo Maderno (1556-1629)
17th Century
Carlo Maderno
Paper
30 x 21 cm
11 7/8 x 8 1/4 inches
The Reverenda Fabbrica of Saint Peter, Vatican City State

Documento firmado por Carlo Maderno (1556-1629)
Siglo 17
Carlo Maderno
Papel
La Reverenda Fabbrica de San Pedro, Ciudad estado del Vaticano

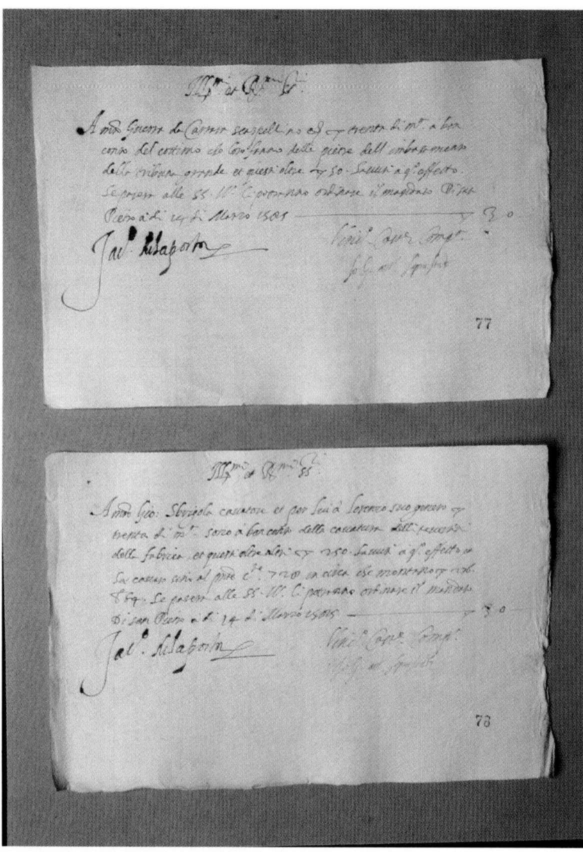

Figure 45
Document signed by Giacomo Della Porta (1553-1602)
16th Century
Giacomo Della Porta
Paper
21 x 30 cm
8 1/4 x 11 7/8 inches
The Reverenda Fabbrica of Saint Peter, Vatican City State

Documento firmado por Giacomo Della Porta (1533-1602)
Siglo 16
Giacomo Della Porta
Papel
La Reverenda Fabbrica de San Pedro, Ciudad estado del Vaticano

Figure 42
Document signed by Michelangelo Buonarroti (1475-1564)
1562
Handwritten paper
The Reverenda Fabbrica of Saint Peter, Vatican City State

Documento firmado por Miguel Ángel Bounarroti (1475-1564)
1562
Papel manuscrito
La Reverenda Fabbrica de San Pedro, Ciudad estado del Vaticano

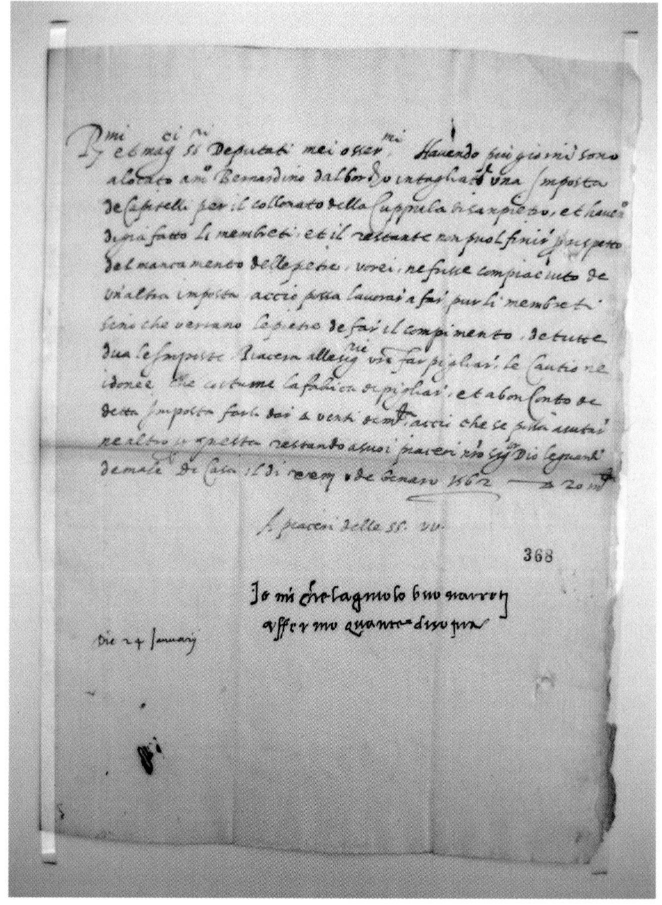

Figure 47
Metal pulley used in Saint Peter's Basilica
End of 18th Century
Iron
40 x 24 x 20 cm
15 3/4 x 9 1/2 x 7 7/8 inches
The Reverenda Fabbrica of Saint Peter,
Vatican City State

Polea metálica usada en la Basílica de San Pedro
Finales del Siglo 18
Hierro
La Reverenda Fabbrica de San Pedro,
Ciudad estado del Vaticano

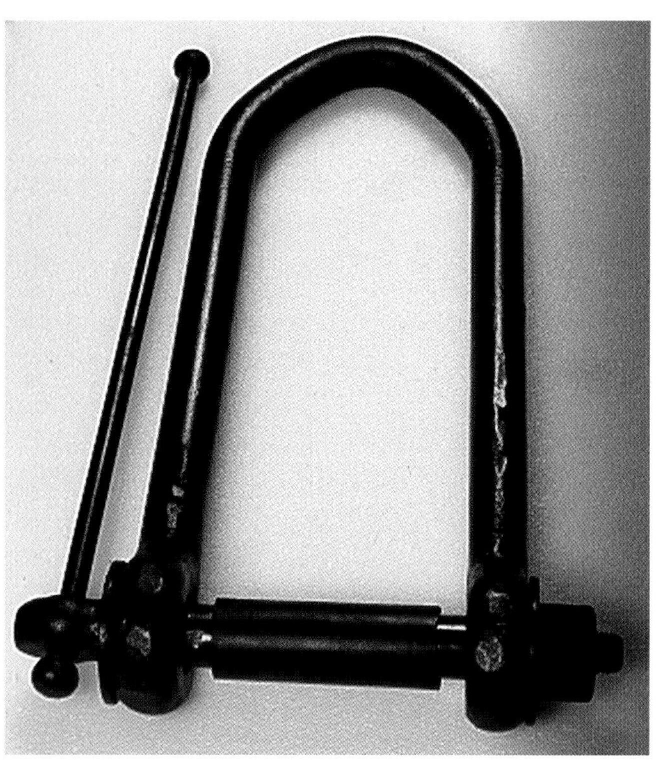

Figure 48
Metal shackle used in Saint Peter's Basilica
End of 18th Century
Iron
The Reverenda Fabbrica of Saint Peter,
Vatican City State

Grillete metálico usado en la Basílica de San Pedro
Finales del siglo 18
Hierro
La Reverenda Fabbrica de San Pedro,
Ciudad estado del Vaticano

Michelangelo's Compass

Various factors suggest that there is truth to the tradition that connects this iron architect's compass with Michelangelo (1475-1564).

First there is the period to which it can be dated, the 16th century, the same period in which Michelangelo worked at Saint Peter's Basilica. Then there is the fact that the compass has been conserved in the Fabbrica di San Pietro, the workshops specially created for the building of the new basilica (Michelangelo was the architect responsible for overseeing the construction work). Lastly, there is long-standing tradition, which has yet to be disproved.

Michelangelo could certainly have used the compass to measure the size and proportions of the figures in the paintings of the Sistine Chapel and possibly even more so in his continuing work on the new Basilica of Saint Peter's, begun by Bramante (1444-1514) and continued under Antonio da Sangallo the Younger, who died in 1546. Giorgio Vasari (1511-1574), in his "Lives of the Most Excellent Painters, Sculptors and Architects," declares that Sangallo's approach, putting forth a design that was very different from Bramante's, was "very far from the truth." Michelangelo, on the other hand, remained true to the spirit of Bramante's conception, adapting and transforming Bramante's original idea of a Basilica on a central plan. Michelangelo's design added the finishing touch by surmounting the new Basilica with a soaring structure topped by a magnificent dome, the culminating point that bore the tension of the entire framework. He finished what Bramante had imagined. Today the entire structure gives the appearance of a single, harmonious, and balanced masterpiece.

Figure 43
Compass of Michelangelo Buonarroti (1475-1564)
16th century
Iron
80 x 66 x 3 cm
31 1/2 x 26 x 1 1/8 inches
The Reverenda Fabbrica of Saint Peter, Vatican City State

Compás de Miguel Ángel Buonarroti (1475-1564)
Siglo 16
Hierro
La Reverenda Fabbrica de San Pedro, Ciudad Estado del Vaticano

El compás de Miguel Ángel

Varios factores sugieren que hay algo de cierto en la tradición que conecta este compás arquitectónico de hierro con Miguel Ángel (1475-1564).

Primero, la fecha a la que corresponde, siglo 16, es el mismo período durante el cual Miguel Ángel trabajó en la Basílica de San Pedro. También hay que considerar el hecho de que el compás ha sido conservado en la Fabricca di San Pietro, el taller creado especialmente para construir la nueva basílica (Miguel Ángel fue el arquitecto responsable de supervisar los trabajos de construcción). Y finalmente, es una larga tradición que aún no ha sido desmentida.

Es muy probable que Miguel Ángel haya usado el compás para medir el tamaño y las proporciones de las figuras en las pinturas de la Capilla Sixtina y muy posiblemente también en su trabajo en la Basílica de San Pedro, empezado por Bramante (1444-1514) y continuado por Antonio da Sangallo el Joven, quien murió en 1546. Giorgio Vasari (1511-1574), en su "Vidas de los Más Excelentes Pintores, Escultores y Arquitectos") afirma que la propuesta de Sangallo al implementar un diseño tan diferente al de Bramante estaba "muy alejado de la verdad". Miguel Ángel, por otro lado, permaneció fiel al espíritu del concepto de Bramante, adaptando y transformando la idea original en un plan centralizado. El diseño de Miguel Ángel añadió el toque final mejorando la nueva Basílica con una estructura elevada cubierta por un magnífico domo, el punto culminante para soportar la tensión de toda la estructura. Él finalizó lo que Bramante había imaginado. Hoy día, la estructura entera ofrece la apariencia de un pieza maestra única, armoniosa y balanceada.

It is astounding to imagine how the measurements and proportions jotted down by Michelangelo in his writings and drawings may have been established with the help of this simple compass. The mere idea that this instrument may have been used by the man considered to have been one of the greatest artists of all time is fascinating. Moreover, the very simplicity of the instrument compared to modern tools highlights Michelangelo's astounding creativity and the tremendous technical skill of the great masters of the past.

Es asombroso imaginar que las medidas y proporciones esbozadas por Miguel Ángel en sus escritos y dibujos hayan sido calculadas con la ayuda de este simple compás. Sólo pensar que este objeto haya sido usado por quien es considerado uno de los más grandes artistas de todos los tiempos, es fascinante. Más aún, la misma simplicidad del instrumento, comparada con las herramientas modernas, resalta la sorprendente creatividad de Miguel Ángel y la tremenda habilidad técnica de los grandes maestros del pasado.

Figure 49
Bust of Gian Lorenzo Bernini (1598-1680)
18th-19th century
Wood
65 x 43 x 30 cm
25 5/8 x 17 x 11 3/4 inches
The Reverenda Fabbrica of Saint Peter, Vatican City State

Busto de Gian Lorenzo Bernini (1598-1680)
Siglos 18-19
Madera
La Reverenda Fabbrica de San Pedro, Ciudad Estado del Vaticano

Figure 51
Candlestick for Saint Peter's Basilica
17th Century
Gian Lorenzo Bernini (1598-1680)
Bronze
113 x 37 x 33 cm
44 1/2 x 14 1/2 x 13 inches
The Reverenda Fabbrica of Saint Peter, Vatican City State

Candelabro de la Basílica de San Pedro
Siglo 17
Gian Lorenzo Bernini (1598-1680)
Bronce
La Reverenda Fabbrica de San Pedro, Ciudad Estado del Vaticano

Daniel in the Lions' Den

An episode from the Old Testament story of the prophet Daniel is portrayed in this work, which Bernini created at some point between 1655 and 1657.

In the Bible story (Daniel 6, 1-28), the young Daniel, refusing to worship the Persian king Darius as a god, is thrown into a den of lions to be ripped apart. But, trusting in the God of his fathers, Daniel is not even touched by the starving beasts. Astonished, the king has Daniel pulled out of the den and proclaims the unique nature of Daniel's God, "the living God who is eternal."

Bernini's sculpture highlights Daniel's unconditional faith in the God of Israel. The prophet is shown in the act of praying, with eyes upraised and a lion at his feet.

The terracotta statuette is a study Bernini made for a statue commissioned by the noble Chigi family for their chapel in the church of Santa Maria dei Popoli in Rome. (A number of differences can be noted between this study and the final marble statue, in particular in the lion shown beside the prophet, licking his feet.)

From the various maquettes made by the artist, we can trace the source of his inspiration: the Laocoön and the Belvedere Torso that, since the start of the 16th century, had been conserved in the private gardens of Pope Julius II (1503-1513) in the Vatican. In the past, some experts maintained that the sculpture was really the work of Bernini's school, but today all recognize that Bernini himself created the piece, one of his finest. It reveals the artist's great skill in imbuing all of his art with a marked dynamism.

Figure 50
Daniel in the Lions' Den
ca. 1655
Gian Lorenzo Bernini (1598-1680)
Terracotta
41.6 cm high
16 3/8 inches high
The Reverenda Fabbrica of Saint Peter, Vatican City State

Daniel en el foso de los leones
Aprox. 1655
Gian Lorenzo Bernini (1598-1680)
Terracotta
La Reverenda Fabbrica de San Pedro, Ciudad Estado del Vaticano

Daniel en el foso de los leones

Un episodio tomado de la historia del profeta Daniel, en el Viejo Testamento, se muestra en este trabajo creado por Bernini en algún momento entre 1655 y 1657.

En la historia Bíblica (Daniel 6, 1-28), el joven Daniel se rehúsa a adorar como a un Dios al rey persa Darío y por eso es arrojado a un foso lleno de leones para que lo devoren. Gracias a su Fe en el Dios de sus padres, Daniel ni siquiera es tocado por las bestias hambrientas. Asombrado, el rey ordena sacar a Daniel del foso y proclama la naturaleza única del Dios de Daniel, "el Dios vivo que es eterno".

La escultura de Bernini resalta la Fe incondicional de Daniel en el Dios de Israel. El profeta es mostrado en acto de oración, con los ojos levantados y un león a sus pies.

La estatuilla terracota es un estudio diseñado por Bernini de una estatua que le encargaron para la capilla de Santa Maria dei Popoli, perteneciente a la noble familia Chigi, en Roma (pueden notarse varias diferencias entre este diseño y la estatua terminada en mármol, en particular por el león postrado al lado del poeta, lamiendo sus pies).

Gracias a numerosas maquetas hechas por el artista podemos encontrar la fuente de su inspiración: el Laocoön y el torso Belvedere los cuales, desde principios del siglo 16, habían sido conservados en los jardines privados del Papa Julio II (1503-1513) en el Vaticano. En el pasado, algunos expertos aseguraban que la escultura realmente era un trabajo de sus estudiantes, pero hoy todos reconocen que fue el mismo Bernini quien creó ésta, una de sus mejores piezas. La obra revela la gran habilidad del artista para impregnar todo su arte de un marcado dinamismo.

Figure 52
Portrait of a cherub
1742-1748
Giacomo Zoboli (1681-1767)
Oil on canvas
109.5 x 148 cm
43 1/8 x 58 1/4 inches
The Reverenda Fabbrica of Saint Peter, Vatican City State

Retrato de un Querubín
1742-1748
Giacomo Zoboli (1681-1767)
Óleo sobre lienzo
La Reverenda Fabbrica de San Pedro, Ciudad Estado del Vaticano

Figure 53
Portrait of an angel
1742-1748
Giacomo Zoboli (1681-1767)
Oil on canvas
269 x 194
106 x 76 3/8 inches
The Reverenda Fabbrica of Saint Peter, Vatican City State

Retrato de un Ángel
1742-1748
Giacomo Zoboli (1681-1767)
Óleo sobre lienzo
La Reverenda Fabbrica de San Pedro, Ciudad Estado del Vaticano

The Swiss Guard: The 500th Anniversary

The Swiss Guard is the world's oldest military organization still in continuous service. Established in the early 16th century by Pope Julius II, the Swiss Guard is made up of young, Catholic Swiss men who voluntarily dedicate a period of their lives to the service of the Church. Their mission is the same as it was five centuries ago: protect the pope. Its troops guard entrances to Vatican City and the Apostolic Palace, where the pope resides. They also perform honor guard duties at official Vatican ceremonies and events. They are easily recognized by their colorful uniforms. On April 18, 1506, 150 Swiss soldiers were present when Julius II laid the cornerstone for the new Saint Peter's Basilica.

The signature event in the history of the Swiss Guard was the 16th century Sack of Rome. In May of 1527, troops loyal to the Holy Roman Emperor, Charles V, attacked Rome and the Vatican. As a leader of the invaders announced his intention to plunder Rome and hang the pope from a golden rope tied to his saddle, soldiers battered down the gates of the city and advanced to Saint Peter's Basilica. On May 6th, they massacred 147 Swiss Guards defending Pope Clement VII. The pope and 42 surviving Guards escaped to the nearby Castel Sant'Angelo through a secret corridor. For a month Rome endured pillage, rape, and murder, followed by plague. It was one of the worst disasters ever to hit the city.

Today approximately 130 elite Swiss Guardsmen constitute the world's smallest army for the world's smallest country, the sovereign state of the Vatican.

This section celebrates the 500th anniversary of the Swiss Guard by displaying uniforms, armor, helmets, spears, swords, command staffs, and other objects from the Guard's history. Here, too, are vintage paintings and prints chronicling 500 years of service.

La Guardia Suiza: Aniversario número 500

La Guardia Suiza es la organización militar en servicio continuo más antigua del mundo. Establecida a principios del siglo 16 por el papa Julio II, la Guardia Suiza está constituida por jóvenes suizos católicos que voluntariamente dedican parte de sus vidas al servicio de la iglesia. Su misión es la misma de hace cinco siglos: proteger al Papa. Sus tropas vigilan las entradas a la ciudad del Vaticano y al palacio Apostólico donde vive el Papa. Además desempeñan guardias de honor en ceremonias y eventos oficiales del Vaticano. Se reconocen fácilmente por sus coloridos uniformes. El 18 de abril de 1506, 150 soldados suizos estaban presentes cuando Julio II puso la primera piedra para la nueva Basílica de San Pedro.

El evento más significativo en la historia de la Guardia Suiza fue el saqueo de Roma en el siglo 16. En mayo de 1527, tropas leales al Santo Emperador Romano Carlos V atacó Roma y el Vaticano. Como líder de los invasores anunció su intención de tomarse la ciudad y colgar al Papa de una soga dorada atada a su caballo. Los soldados derribaron las puertas y avanzaron hacia la Basílica de San Pedro. El 6 de mayo masacraron a 147 Guardas Suizos que defendían al Papa Clemente VII. El pontífice y 42 guardas sobrevivientes escaparon al castillo cercano de Sant'Angelo, usando un pasadizo secreto. Durante un mes, Roma soportó robos, saqueos, violaciones y asesinatos, y luego la plaga. Fue uno de los peores desastres que haya sufrido la ciudad.

Hoy, una élite de aproximadamente 130 Guardas Suizos constituyen además el ejército más pequeño del mundo, para el país más pequeño del mundo, el estado soberano del Vaticano.

Esta sección celebra el aniversario número 500 de la Guardia Suiza exhibiendo uniformes, armaduras, lanzas, espadas, báculos y otros objetos pertenecientes a la historia de la Guardia. También pueden apreciarse pinturas distintivas e impresiones que describen 500 años de servicio.

Figure 62
Corporal, half-dress attire
(model of Prussian-style, 1820 to 1914)
1900
Cloth, metal
Papal Swiss Guard, Vatican City State

Cabo, medio atuendo
(modelo estilo prusiano, 1820 a 1914)
1900
Tela, metal
Guardia Suiza del Papa, Ciudad Estado del Vaticano

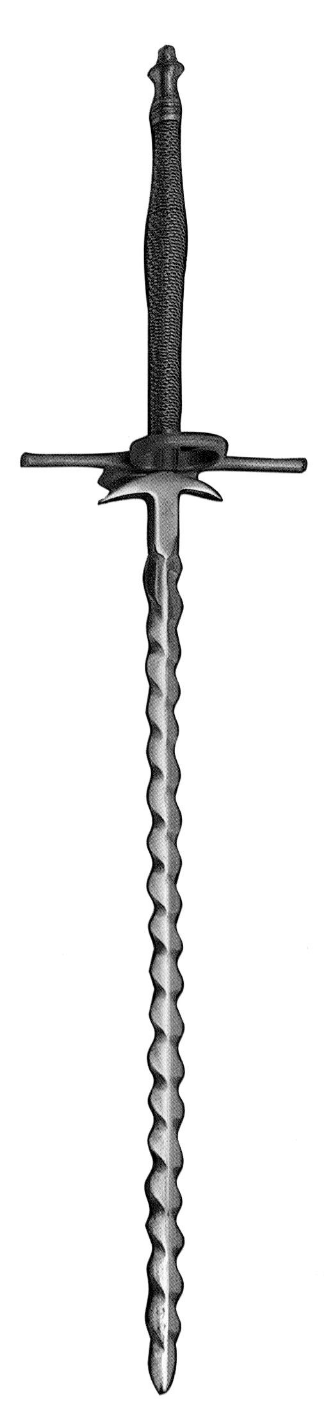

Figure 72
Two-handed broadsword
Metal
26.7 x 20.3 cm
10.5 x 8 inches
Papal Swiss Guard, Vatican City State

Sable de dos manos
Metal
Guardia Suiza del Papa, Ciudad Estado del Vaticano

Figure 63
Halberdier, half-dress attire
20th century
Cloth, metal
Papal Swiss Guard, Vatican City State

Alabardero, medio atuendo
Siglo 20
Tela, metal
Guardia Suiza del Papa, Ciudad Estado del Vaticano

Figure 64
Officer, half-dress attire
20th century
Velvet, cloth, metal
Papal Swiss Guard, Vatican City State

Oficial, medio atuendo
Siglo 20
Terciopelo, tela, metal
Guardia Suiza del Papa, Ciudad Estado del Vaticano

Figure 65
Commander, full-fress attire
20th century
Velvet, cloth, metal
Papal Swiss Guard, Vatican City State

Comandante, atuendo completo
Siglo 20
Terciopelo, tela, metal
Guardia Suiza del Papa, Ciudad Estado del Vaticano

Figure 66
Drum
Late 19th century-early 20th century
Painted wood, leather
61 x 36.8 cm
24 x 14.5 inches
Deep sword
Papal Swiss Guard, Vatican City State

Tambor
Finales del siglo 19, principios del 20
Pintura en madera, cuero
Guardia Suiza del Papa, Ciudad Estado del Vaticano

Figure 67
Poleax
Metal, oak
99 x 33 x 15 inches
251.5 x 83.8 x 38 cm
Papal Swiss Guard, Vatican City State

Hacha de batalla
Metal, roble
Guardia Suiza del Papa, Ciudad Estado del Vaticano

Figure 68
Armor
Late 16th century
Metal, cloth
53.3 x 63.5 x 48.3 cm
21 x 25 x19 inches
Papal Swiss Guard, Vatican City State

Armadura
Finales del siglo 16
Metal, tela
Guardia Suiza del Papa, Ciudad Estado del Vaticano

Figure 69
Bascinet
Late 16th century
Metal
29.2 x 40.6 x 33 cm
11.5 x 16 x 13 inches
Papal Swiss Guard, Vatican City State

Casco de armadura
Finales del siglo 16
Metal
Guardia Suiza del Papa, Ciudad Estado del Vaticano

Figure 70
Morion, troops
1904
Metal
43 x 43 x 35.6 cm
17 x 17 x 14 inches
Papal Swiss Guard, Vatican City State

Casco de armadura, tropas
1904
Metal
Guardia Suiza del Papa, Ciudad Estado del Vaticano

Figure 71
Mascolo
(obturator from the ancient spingarde)
19th century
26.7 x 20.3 cm
10.5 x 8 inches
Papal Swiss Guard, Vatican City State

Mascolo (obturador de escopeta antigua)
Siglo 19
Guardia Suiza del Papa, Ciudad Estado del Vaticano

Figure 54
The Resistance of the Swiss Guards during the Sack of Rome
1927
Giuseppe Rivaroli
Oil on canvas
145 x 175.2 cm
57 x 69 inches
Papal Swiss Guard, Vatican City State

Resistencia de la Guardia Suiza durante el saqueo de Roma
1927
Giuseppe Rivaroli
Óleo sobre lienzo
Guardia Suiza del Papa, Ciudad Estado del Vaticano

Figure 55
Papal Blessing
1555
Etching, burin /print on paper
62.2 x 78.7 cm
24.5 x 31 inches
Papal Swiss Guard, Vatican City State

Bendición Papal
1555
Aguafuerte, impreso sobre papel
Guardia Suiza del Papa, Ciudad Estado del Vaticano

Figure 56
Papal Procession from the Quirinale Palace
1835-1840
Etching (print on paper)
35.6 x 43 cm
14 x 17 inches
Papal Swiss Guard, Vatican City State

Procesión Papal desde el palacio Quirinal
1835-1840
Aguafuerte (impreso sobre papel)
Guardia Suiza del Papa, Ciudad Estado del Vaticano

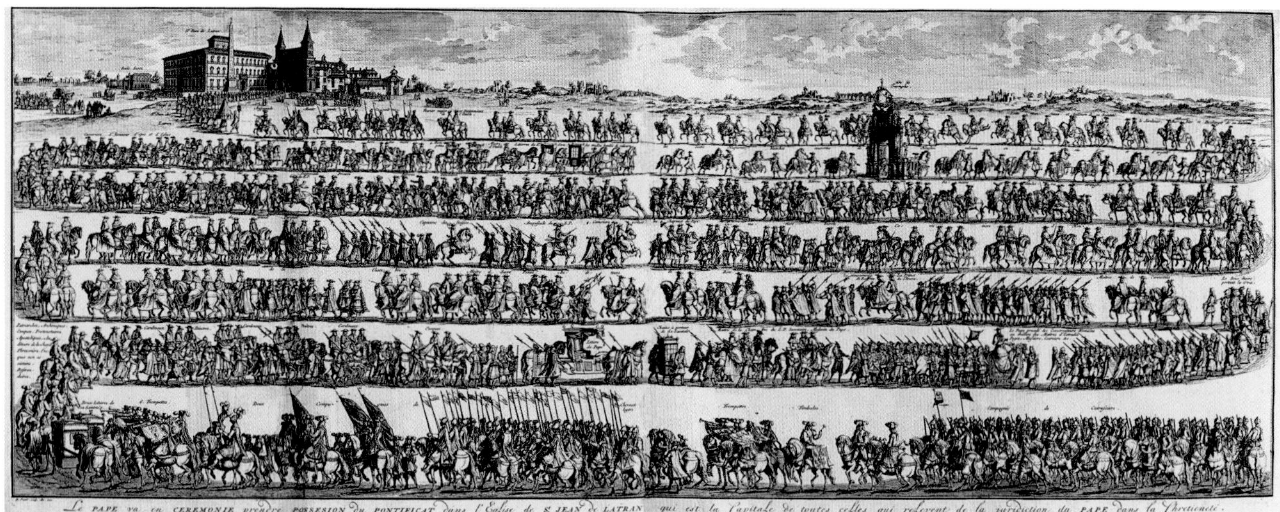

Figure 57
The Pope proceeds solemnly to Saint John Lateran to Take Office
1722
Etching (print on paper)
47 x 98 cm
18.5 x 38.5 inches
Papal Swiss Guard, Vatican City State

El Papa se dirige solemnemente a San Juan Letrán para tomar posesión
1722
Aguafuerte (impreso sobre papel)
Guardia Suiza del Papa, Ciudad Estado del Vaticano

Figure 58
Portrait of Swiss Guard Giovanni Alto
1623 (reprint 1775)
Francesco Villamena
Etching, burin (print on paper)
62 x 48 cm
24.5 x 19 inches
Papal Swiss Guard, Vatican City State

Retrato del Guarda Suizo Giovanni Alto
1623 (reimpreso de 1775)
Francesco Villamena
Aguafuerte (impreso sobre papel)
Guardia Suiza del Papa, Ciudad Estado del Vaticano

Figure 60
Drummer
1914
M. de Flotow
Oil on canvas
73.7 x 50.8 cm
29 x 20 inches
Papal Swiss Guard, Vatican City State

Tamborilero
1914
M. de Flotow
Óleo sobre lienzo
Guardia Suiza del Papa, Ciudad Estado del Vaticano

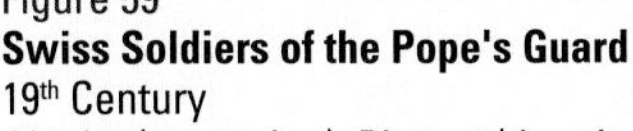

Figure 59
Swiss Soldiers of the Pope's Guard
19th Century
Alophe (engraving), Pincret (drawing)
Lithograph
54.6 x 38 cm
21.5 x 15 inches
Papal Swiss Guard, Vatican City State

Soldados Suizos de la guardia del Papa
Siglo 19
Alophe (grabado), Pincret (dibujo)
Litografía
Guardia Suiza del Papa, Ciudad Estado del Vaticano

Figure 61
Capitano von Sury d'Aspremont in Anteroom Attire
Early 20th Century
Aloys Hirschsbühl
Oil on canvas
72.4 x 49.5 cm
28.5 x 19.5 inches
Papal Swiss Guard, Vatican City State

Capitán von Sury d'Aspremont en atuendo de antesala
Principios del siglo 20
Aloys Hirschsbühl
Óleo sobre lienzo
Guardia Suiza del Papa, Ciudad Estado del Vaticano

Figure 73
Swiss Sergeant, with Armor and Flag
1853
Salvatore Marroni
Colored etching (print on paper)
57 x 40.6 cm
22.5 x 16 inches
Papal Swiss Guard, Vatican City State

Sargento Suizo con armadura y bandera
1853
Salvatore Marroni
Aguafuerte coloreado (impreso sobre papel)
Guardia Suiza del Papa, Ciudad Estado del Vaticano

Figure 75
Portrait of Commander Elmar Theodor Mader
2006
N. Tsarkova
Oil on canvas
122 x 81.3 cm
48 x 32 inches
Papal Swiss Guard, Vatican City State

Retrato del comandante Elmar Theodor Mäder
2006
N. Tsarkova
Óleo sobre lienzo
Guardia Suiza del Papa, Ciudad Estado del Vaticano

Figure 74
Swiss Guard Piper
1836
A.L. Lavoisier
Hand-colored lithograph (print on paper)
38 x 31.7 cm
15 x 12 inches
Papal Swiss Guard, Vatican City State

Gaitero de la Guardia Suiza
1836
A.L. Lavoisier
Litografía coloreada a mano (impreso sobre papel)
Guardia Suiza del Papa, Ciudad Estado del Vaticano

Figure 76
Portrait of Commander Kaspar Von Silenen (1505-1517)
Oil on canvas
81.3 x 64.8 cm
32 x 25.5 inches
Papal Swiss Guard, Vatican City State

Retrato del comandante Kaspar Von Silenen (1505-1517)
Óleo sobre lienzo
Guardia Suiza del Papa, Ciudad Estado del Vaticano

Figure 77
Portrait of Commander Kaspar Röist
(1524-1527)
Oil on canvas
81.3 x 64.8 cm
32 x 25.5 inches
Papal Swiss Guard, Vatican City State

Retrato del comandante Kaspar Röist (1524-1527)
Óleo sobre lienzo
Guardia Suiza del Papa, Ciudad Estado del Vaticano

THE VATICAN MUSEUMS: THE 500TH ANNIVERSARY

In January of 1506, workers in a vineyard in Rome unearthed a marble sculpture. It depicted the priest, Laocoön (who, according to Greek myth, had tried to warn the people of ancient Troy not to accept the Greeks' gift of the Trojan Horse) and his sons being attacked by sea serpents. Pope Julius II sent Michelangelo Buonarroti and another Vatican sculptor, Giuliano da Sangallo, to investigate the discovery. They were hugely impressed (the sculpture has since been dated to ancient Rome, perhaps from the collection of the emperor Nero) and recommended that the Julius purchase the piece. A month later, the pope placed it on display at the Vatican.

It was the beginning of what became the Vatican Museums. Scores of artifacts were added throughout the next two centuries, and eventually Popes Benedict XIV (1740-1758) and Clement XIII (1758-1769) reorganized the collections. Their immediate successors, Clement XIV (1769-1774) and Pius VI (1775-1799), made available the first museum buildings designed for public viewing. As the decades passed, popes continued to add to the already impressive collection.

Today, there are 13 museums and collections displayed in the Vatican's palaces (which are themselves lavishly decorated with marble and frescoes), culminating in the exquisite frescoes of the Sistine Chapel. The museums and palaces cover close to 600,000 square feet, with 20 courtyards and some 1,400 halls, chapels, and rooms. Over 4 million people visit each year. It is one of the finest museum complexes in the world.

Objects from the Vatican Museums are displayed throughout the exhibition.

LOS MUSEOS VATICANOS: ANIVERSARIO NÚMERO 500

En enero de 1506, trabajadores de un viñedo en Roma desenterraron una escultura de mármol que representaba al sacerdote Laocoön (quien, según la mitología griega, trató de convencer a los habitantes de la antigua Troya de no aceptar el regalo griego del Caballo de Troya), y a sus hijos, siendo atacados por serpientes marinas. El Papa Julio II envió a Miguel Ángel Buonarroti, y a otro escultor Vaticano, Giuliano da Sangallo, a investigar el descubrimiento. Ambos quedaron muy impresionados al verla (el origen de la escultura se remonta a la antigua Roma, quizás a la colección del emperador Nerón), y recomendaron que Julio comprara la obra. Un mes después, el Papa la puso en exhibición en el Vaticano.

Éste fue el inicio de lo que se conoce como los Museos Vaticanos. Decenas de artefactos fueron adicionados durante los siguientes dos siglos, y eventualmente los papas Benedicto XIV (1740-1758) y Clemente XIII (1758-1759) reorganizaron las colecciones. Sus sucesores inmediatos, Clemente XIV (1769-1774) y Pío VI (1775-1799), hicieron accesibles los primeros edificios diseñados para que el público los disfrutara. Década tras década, los Papas han seguido aumentando la ya impresionante colección.

Hoy día hay 13 museos y colecciones son exhibidas en los palacios del Vaticano (espléndidamente decorados con mármol y frescos), incluyendo los exquisitos frescos de la Capilla Sixtina. Los museos y palacios cubren cerca de 600 mil pies cuadrados con 20 patios y cerca de 1.400 recibidores, capillas y habitaciones. Más de 4 millones de personas los visitan cada año y es una de las instalaciones de museos más refinadas del mundo.

Objetos de los Museos Vaticanos están distribuidos por toda la exhibición.

The Work of the Pope

El trabajo del Papa

The Work of the Pope

The word "pope" means "father." For the Catholic Church, the pope is patriarch of the faithful, the spiritual father of some 900 million people worldwide. The papacy, the office of the pope, may be the world's oldest continuously functioning human institution. It is certainly one of the most influential. This section explores the work of the pope, from his election, to the rituals of worship he presides over, to his dialogue with the world.

Election

In 1475, Pope Sixtus IV began to build a new chapel on the grounds of the Vatican. To emphasize Christianity's evolution from Judaism, he built it to the same dimensions as the Holy of Holies of Solomon's ancient temple in Jerusalem and decorated it with frescoes depicting Biblical stories. Leading artists worked on the decorations, among them Botticelli, Ghirlandaio, Perugino, Signorelli, and Rosselli. The ceiling, however, Sixtus left decorated only by a vast starry night. It fell to his nephew, Julius II, in 1508, to commission Michelangelo to paint his great frescoes on the Chapel's ceiling.

Today the Sistine Chapel (named for Sixtus IV) serves as a private chapel for the popes, the site of solemn ceremonies, and the repository of some of the world's finest art – and it is also the place where, upon the death of a pope, a new pontiff is elected.

Popes serve until they die (or abdicate, but no pope has abdicated since Gregory XII in 1415). The election of a new pope is a carefully-controlled and clandestine process, almost certainly the oldest continuous electoral tradition in the world.

When a pope dies, his funeral rites last nine days. Within 15 to 20 days afterwards, the electoral meeting – the conclave – begins. Every cardinal younger than 80 years old gathers at the Sistine Chapel. They remain there daily, behind locked doors ("conclave" comes from the Latin cum clave, meaning "under lock and key"), until they choose a new pope. The voting proceeds without speech or debate. Each cardinal receives a ballot and inscribes a name. If they don't attain a two-thirds majority, the

El trabajo del Papa

La palabra "Papa" significa "padre". Para la Iglesia Católica el Papa es el patriarca de la Fe, el padre espiritual de unas 900 millones de personas en todo el mundo. El papado, el oficio del Papa, es quizás la institución humana, en funcionamiento continuo, más antigua del mundo. Y es también una de las más influyentes. Esta sección explora el trabajo del Papa, desde su elección, pasando por los rituales de adoración que preside, hasta sus diálogos con el mundo.

Elección

En 1475, el Papa Sixto IV empezó a construir una nueva capilla en terrenos del Vaticano. Para enfatizar la evolución del Cristianismo desde el Judaísmo, la construyó con las mismas dimensiones del Sanctum Sanctorum – o lugar sagrado – de Salomón, ubicado en el antiguo templo en Jerusalén, el cual decoró con frescos que representaban historias Bíblicas. Famosos artistas trabajaron en los decorados, entre ellos Botticelli, Ghirlandaio, Perugino, Signorelli y Rosselli. El techo, sin embargo, lo dejó Sixto decorado sólo con la amplia noche estrellada. Fue su sobrino Julio II quien retomó esta responsabilidad y en 1508 le encargó a Miguel Ángel pintar los grandiosos frescos del techo de la Capilla.

Hoy día, la capilla Sixtina (llamada así por Sixto IV) sirve como capilla privada para los Papas, sitio para ceremonias solemnes, depositario de algunas de las muestras más

nas del arte mundial y es también el lugar donde, a la muerte del Papa, se elige un nuevo pontífice.

Los Papas rigen hasta que mueren (o abdican, pero ningún Papa ha abdicado desde Gregorio XII en 1415). La elección del nuevo Papa es un proceso secreto y cuidadosamente controlado, casi con certeza la tradición electoral continua más antigua del mundo.

Cuando muere un Papa, los rituales de su funeral duran nueve días. Durante los 15 a 20 días siguientes se inician las reuniones electorales (cónclave). Todos los Cardenales menores de 80 años se reúnen en la Capilla Sixtina donde permanecen todo el día a puerta cerrada (la palabra "conclave" viene del latín cum clave que significa "con

balloting continues, twice in the morning, twice in the afternoon, day after day – until a candidate emerges. At the end of the morning and afternoon ballotings, the used ballots are burned in a small stove inside the Sistine Chapel. The color of the smoke informs the crowds in Saint Peter's Square about the outcome of the balloting. Dark smoke indicates that no pope has yet been elected; white smoke signals a new pope.

Once elected, the new pope sits before the altar of the Sistine Chapel. One by one the cardinals kneel in front of him to make professions of homage, obedience, and faith. Soon the Senior Cardinal Deacon appears on the balcony of the central window of Saint Peter's Basilica and declares to the world, "I announce to you a great joy! We have a pope!" The newly elected pope then steps up to the balcony to give his first blessing.

This section features objects used in papal conclaves, including a ballot, receptacles, vestments, and other items used during the election of Benedict XVI. It also celebrates the Sistine Chapel itself, displaying a nail, clamps, and playing cards used during restorations of the Chapel during centuries past, and features a recreation of the scaffolding Michelangelo used to paint the Chapel ceiling.

seguro y bajo llave"), hasta que elijan a un nuevo Papa.

El proceso de votación se realiza sin discursos o debates. Cada cardenal recibe una papeleta para votar y escribe un nombre. Si no se obtienen dos tercios de la mayoría, la votación continúa dos veces en la mañana y dos veces en la tarde, día tras día, hasta que surge un ganador. Al final de la mañana y de la tarde los votos se queman en una pequeña estufa dentro de la Capilla Sixtina. El color del humo informa a la multitud en la plaza de San Pedro sobre los resultados de la votación. El humo oscuro significa que aún no se ha elegido el Papa, el humo blanco significa que hay un nuevo Papa.

Una vez elegido, el nuevo Papa se sienta ante el altar de la Capilla Sixtina. Uno a uno los Cardenales se arrodillan en frente suyo para profesarle homenaje, obediencia y fe. Luego el Cardenal Diacono Mayor hace aparición en el balcón de la ventana central de la basílica de San Pedro y dice al mundo: "¡Les anuncio una gran alegría! Tenemos Papa". El nuevo pontífice se para entonces en el balcón y brinda su primera bendición.

Esta sección contiene objetos usados en cónclaves papales, incluyendo un voto, receptáculos, vestiduras y otros artículos usados durante la elección del Papa Benedicto XVI. Además resalta a la misma Capilla Sixtina mostrando un clavo, abrazaderas y cartas de juego usadas durante las restauraciones de la Capilla en siglos pasados, y una réplica de la plataforma o andamio usado por Miguel Ángel, para pintar el techo de la Capilla.

Figure 29
Portrait of Pope Sixtus IV (1471-1484)
19th century
Raffaele Capo
Oil on canvas
136.5 x 136.5 cm
53 3/4 x 53 3/4 inches
The Reverenda Fabbrica of Saint Peter, Vatican City State

Retrato del Papa Sixto IV (1471-1484)
Siglo 19
Raffaele Capo
Óleo sobre lienzo
La Reverenda Fabbrica de San Pedro, Ciudad Estado del Vaticano

Figure 78
Metal clamps and a nail used to repair frescoes in the Sistine Chapel
16th century
Metals
Framed size: 40 x 33 cm
15 3/4 x 13 inches
Vatican Museums, Vatican City State

Abrazaderas metálicas y clavo usados para reparar frescos en la Capilla Sixtina
Siglo 16
Metales
Muesos Vaticanos, Ciudad Estado del Vaticano

Playing Cards

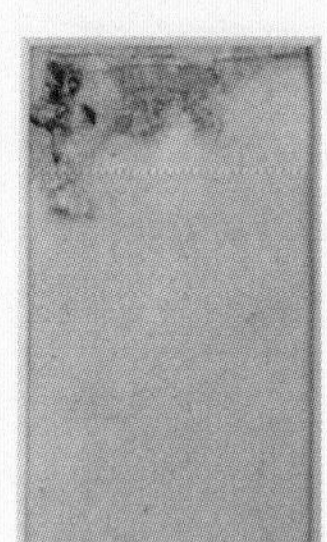

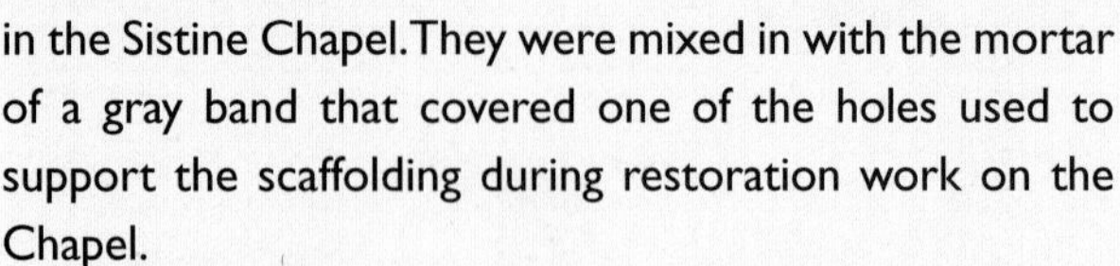

These fragments from three playing cards – a jack of diamonds, a jack of clubs, and four of clubs – were found in the Sistine Chapel. They were mixed in with the mortar of a gray band that covered one of the holes used to support the scaffolding during restoration work on the Chapel.

The cards, which were made by gluing two thin sheets of paper together, date to the beginning of the eighteenth century, roughly 200 years after Michelangelo painted the frescoes on the ceiling (between 1508 and 1512). It was then that the Florentine painter Mazzuoli restored the paintings below the Azar-Sadoch lunette (a pre-Michelangelo work) because they had been largely obscured by the smoke from candles and lamps. Michelangelo never did paint over this area of the Chapel, as it was below the scaffolding on which he worked.

The cards came to light in 1979 when work began to restore the entire Sistine Chapel. In the same hole, a tile with a patch of the gray paint used to paint the band, the metal ring from a paintbrush, fragments of wood, and a piece of rope were found together with the cards.

We have no way of knowing how these cards ended up in the mortar, but the other objects suggest that all kinds of materials were used to fill the holes left after the scaffolding had been removed. With a little imagination, we can link these fragments to a laborer who played cards in his breaks from work. They are a curiosity in a story made up not only of extraordinary achievements but also of daily routines that tend to be overlooked.

Juego de Cartas

Estos fragmentos de una baraja de naipes – la jota de diamantes, la jota y cuatro de tréboles – fueron encontrados en la Capilla Sixtina. Estaban mezclados con la argamasa (agua, arena y cal) de una venda o faja gris que cubría uno de los orificios usado para sostener los andamios durante los trabajos de restauración en la Capilla.

Los naipes o cartas, que eran hechos pegando dos delgadas piezas de papel, datan de principios del siglo 18, unos 200 años después de que Miguel Ángel pintara los frescos en el techo (entre 1508 y 1512). Fue en ese entonces cuando el pintor florentino Mazzuoli restauró las pinturas que estaban debajo de la Azar-Sadoch, una luneta o ventana en forma de media luna – finalizadas antes del trabajo de Miguel Ángel –, pues estas se habían oscurecido debido al humo de las lámparas y las velas. Miguel Ángel nunca pintó en esta área de la Capilla, que estaba debajo del andamio sobre el que él trabajó.

Los naipes salieron a la luz en 1979 cuando se iniciaron los trabajos de restauración de toda la Capilla Sixtina. En la misma perforación, al lado de los naipes, se encontraron una losa o baldosa con un parche de la pintura gris usada en la faja, el anillo de metal de una brocha, fragmentos de madera y un trozo de soga.

No hay manera de saber cómo terminaron estas cartas en la mezcla, pero los otros objetos encontrados sugieren que se usó todo tipo de materiales para llenar las perforaciones que quedaron al retirar el andamio. Con un poco de imaginación podemos relacionar estos fragmentos con los trabajadores que jugaron cartas en sus descansos. Estos artículos son considerados una curiosidad dentro de una historia llena, no sólo de extraordinarios logros, sino además de rutinas diarias que tienden a pasar desapercibidas.

Figure 79
Fragments of playing cards from mortar filling a hole in the Sistine Chapel
18th century
Paper
Vatican Museums, Vatican City State

Fragmentos de naipes hallados en el mortero usado para llenar un orificio en la Capilla Sixtina
Siglo 18
Papel
Museos Vaticanos, Ciudad Estado del Vaticano

Figure 80
Papal Throne
20th century
Fir, gilt walnut, red velvet, bronze
160 x 80 x 80 cm
63 x 31 1/2 x 31 1/2 inches
Apostolic Floreria, Vatican City State

Trono Papal
Siglo 20
Abeto, nogal dorado, terciopelo rojo, bronce
Florería Apostólica, Ciudad Estado del Vaticano

Figure 87
Antependium (altar frontal) used during the conclaves until 1978
19th century
Burnished metal, golden thread, silver thread, cloth
103.5 x 250 x 3.5 cm
40 3/4 x 98 1/2 inches
Office of the Liturgical Celebrations of the Supreme Pontiff, Vatican City State

Antependium (altar frontal) usado durante los conclaves hasta 1978
Siglo 19
Metal pulido, hilo dorado, hilo plateado, tela
Oficio de Celebraciones Litúrgicas del Sumo Pontífice, Ciudad Estado del Vaticano

Figure 91
White Smoke-Producing Cartridge used during the Conclave of 2005
Metal, plastic
17.5 x 26 x 3.5
6 7/8 x 10 1/4 x 1 3/8 inches
Office of the Liturgical Celebrations of the Supreme Pontiff, Vatican City State

Cartucho para producir humo blanco usado durante el cónclave de 2005
Metal, plástico
Oficio de Celebraciones Litúrgicas del Sumo Pontífice, Ciudad Estado del Vaticano

Election Urns and Paten

Papal elections, or conclaves, are at once formal, simple, and ancient. Ritual born of long tradition governs everything in the conclave. This is especially the case for the central act of casting ballots for the new pope. With stately precision each cardinal elector approaches the paten covering the urn used to receive the votes. Holding aloft his ballot, which he has carefully folded to preserve the secrecy of his choice, he recites the election oath, "I call as my witness Christ the Lord who will be my judge that my vote is given to the one who before God I think should be elected." Only then does he place his ballot on the paten and drop it reverently into the urn. The measured steps of the ritual are elaborate enough to allow for only two ballotings in the morning and two after midday. The counted ballots stored in the second urn are burned at the end of the half-day sessions after a careful record of votes has been made by three cardinal scrutinizers.

Beneath the solemn ritual is a simple electoral process. Popes are elected by secret ballot on the principle of one man, one vote. The cardinals, who serve as electors, constitute a kind of council of elders in the Roman Catholic Church. Each is appointed by the pope after years of responsible and trustworthy leadership. Together they form an electoral college meant to represent the entire Catholic Church. Every man votes his conscience and the whole affair is conducted in an atmosphere of quiet reflection and prayer. After every elector has voted the ballots are counted, and when a

Figure 88 - 89
Urn for the Conclave (voting)
Cecco Bonanotte, 2000
Silver, Gilt Bronze
55 x 55 x 17 cm
21 3/8 x 21 3/8 x 6 3/4 inches

Paten for the voting urn of the Conclave
Cecco Bonanotte, 2000
Gilt Bronze
18 x 18 x 3 cm
7 x 7 x 1 1/8 inches
Office of the Liturgical Celebrations of the Supreme Pontiff, Vatican City State
(Displayed on urn)

Urna para el cónclave (votos)
Cecco Bonanotte, 2000
Plata, Bronce dorado

Patena para la urna de votación del cónclave
Cecco Bonanotte, 2000
Bronce dorado
Oficio de Celebraciones Litúrgicas del Sumo Pontífice, Ciudad Estado del Vaticano
(Exhibido en la urna)

Las urnas electorales y la patena

Las elecciones papales, o cónclaves son ceremonias a la vez formales, simples y antiguas. El ritual, nacido de una larga tradición, gobierna todo en el cónclave, en especial el recipiente para el acto central de depositar los votos para el nuevo Papa. Con majestuosa precisión, cada cardenal elector se dirige la patena que se usa para cubrir la urna que recibirá los votos. Sosteniendo en lo alto su voto que ha doblado cuidadosamente para guardar su elección en secreto, recita el juramento de elección: "Pongo por testigo a Cristo nuestro señor quien juzgará si mi voto es para aquel que ante Dios yo pienso que debe ser elegido". Sólo entonces coloca su voto sobre la patena para que caiga reverentemente dentro de la urna. Los calculados pasos del ritual son tan elaborados que sólo permiten dos votaciones en la mañana y dos después del medio día. Los votos, guardados en una segunda urna, se queman al final de la sesión de la mañana o de la tarde luego de ser contados cuidadosamente por tres cardenales escrutadores.

Detrás del solemne ritual hay un simple proceso electoral. Los Papas son elegidos por voto secreto siguiendo el principio de un hombre, un voto. Los cardenales, quienes son los electores y han sido designados por el Papa luego de años de liderazgo responsable y confiable, constituyen una especie de consejo de ancianos de la Iglesia Católica Romana. Cada hombre vota a conciencia y el acontecimiento transcurre en una atmósfera de tranquila reflexión y oración. Luego de que cada elector ha votado, se cuentan los votos y cuando se alcanza una

two-thirds majority is reached the dean of the College of Cardinals immediately approaches the candidate and asks if he accepts election. His acceptance ends the conclave and begins the new pontificate.

The beautiful urns and paten on display here were used for the election of Benedict XVI. The ballots were initially gathered in the urn adorned with sheep – after being counted, they were transferred into the urn topped with a shepherd. These are the most recent vessels in service of an event that is almost two thousand years old. When you look at these modern objects you can contemplate the 263 elections which preceded their use. CH

mayoría de las dos terceras partes, el diácono del Colegio de Cardenales se dirige inmediatamente al candidato y le pregunta si acepta la elección. Su aceptación concluye el cónclave y se inicia el nuevo pontificado.

Las hermosas urnas y patenas de la exhibición fueron usadas para las elecciones de Benedicto XVI. Los votos fueron recogidos inicialmente en la urna adornada con la oveja y luego de haber sido contados fueron transferidos a la urna cubierta con un pastor. Estos son los recipientes de uso más reciente en un acto que tiene casi 2 mil años. Al ver estos modernos objetos será testigo de las 263 elecciones que ya tuvieron lugar antes de que estas fueran usadas. CH

Figure 90
Urn for the Conclave (ballot)
Silver, gilt bronze
60 x 55 x 34 cm
23 5/8 x 21 5/8 x 13 3/8 inches
Office of the Liturgical Celebrations of the Supreme Pontiff, Vatican City State

Urna para el cónclave (votos)
Cecco Bonanotte
2000
Plata, bronce dorado
Oficio de Celebraciones Litúrgicas del Sumo Pontífice, Ciudad Estado del Vaticano

Figure 92
Folding desk blotter for conclave
2005
Plastic, paper
33 x 45 x 1.5 cm
13 x 17 3/4 x 1/2 inches
Office of the Liturgical Celebrations of the Supreme Pontiff, Vatican City State

Papel secante plegable para el cónclave
2005
Plásticos, Papel
Oficio de Celebraciones Litúrgicas del Sumo Pontífice, Ciudad Estado del Vaticano

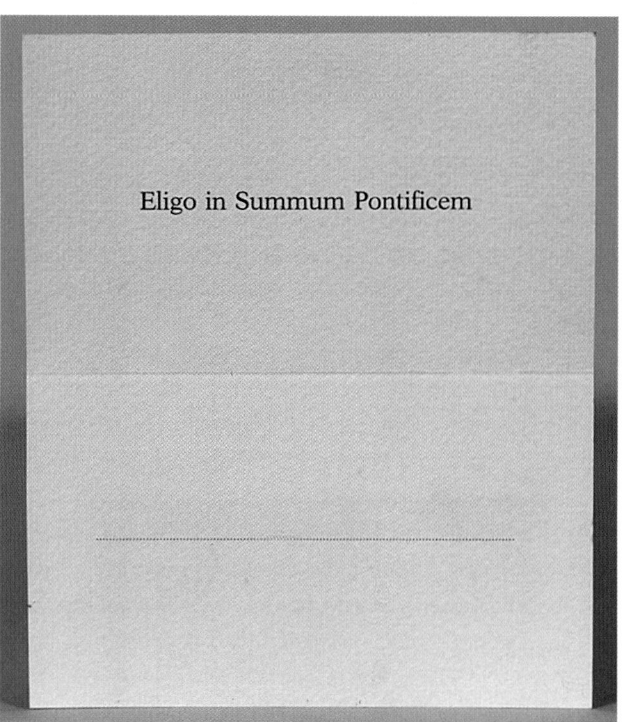

Figure 93
Ballot used for the election of the Pope
2005
Paper
14 x 12 cm
5 1/2 x 4 3/4 inches
Office of the Liturgical Celebrations of the Supreme Pontiff, Vatican City State

Voto usado para elegir al Papa
2005
Papel
Oficio de Celebraciones Litúrgicas del Sumo Pontífice, Ciudad Estado del Vaticano

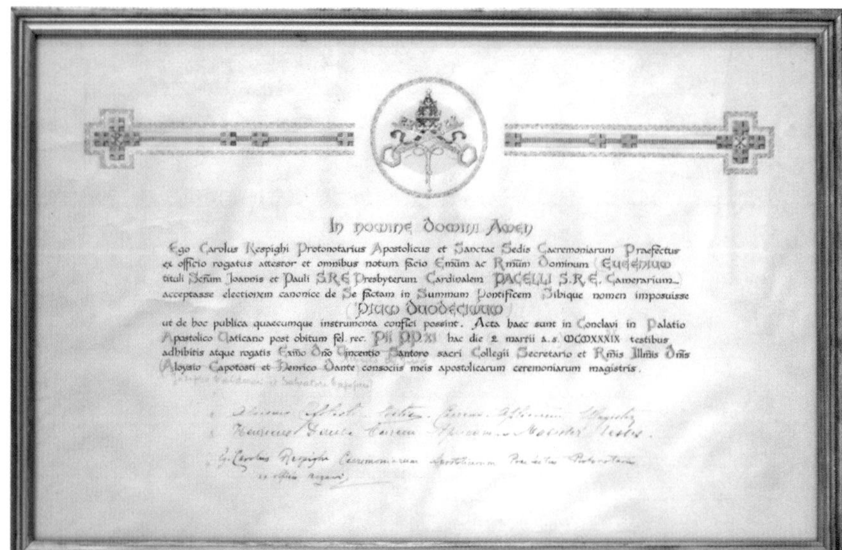

In nomine Domini Amen

Ego Carolus Respighi Protonotarius Apostolicus et Sanctae Sedis Caeremoniarum Praefectus ex officio rogatus attestor et omnibus notum facio Emūm ac Rmūm Dominum (Eugenium tituli Scūm Joannis et Pauli S.R.E. Presbyterum Cardinalem PACELLI S.R.E. Camerarium) acceptasse electionem canonice de Se factam in Summum Pontificem Sibique nomen imposuisse

(Pium Duodecimum)

ut de hoc publica quaecumque instrumenta confici possint. Acta haec sunt in Conclavi in Palatio Apostolico Vaticano post obitum fel. rec. PII PP. XI hac die 2 martii a. s. MCMXXXIX testibus adhibitis atque rogatis Exmo Dño Vincentio Santoro sacri Collegii Secretario et Rmis Illmis Dñis Aloysio Capotosti et Henrico Dante consociis meis apostolicarum ceremoniarum magistris.

Figure 81
Parchment of the election of Pope Pius XII (1939-1958)
1939
Handwritten parchment
25 x 40 cm
9 7/8 x 15 3/4 inches
Office of the Liturgical Celebrations of the Supreme Pontiff, Vatican City State

Pergamino de la elección del Papa Pío XII (1939-1958)
1939
Pergamino manuscrito
Oficio de Celebraciones Litúrgicas del Sumo Pontífice, Ciudad Estado del Vaticano

Figure 82
Parchment of the election of Pope John XXIII (1958-1963)
1958
Handwritten parchment
25 x 40 cm
9 7/8 x 15 3/4 inches
Office of the Liturgical Celebrations of the Supreme Pontiff, Vatican City State

Pergamino de la elección del Papa Juan XXIII (1958-1963)
1958
Pergamino manuscrito
Oficio de Celebraciones Litúrgicas del Sumo Pontífice, Ciudad Estado del Vaticano

Figure 83
Parchment of the election of Pope Paul VI (1963-1978)
1963
Handwritten parchment
25 x 40 cm
9 7/8 x 15 3/4 inches
Office of the Liturgical Celebrations of the Supreme Pontiff, Vatican City State

Pergamino de la elección del Papa Pablo VI (1963-1978)
1963
Pergamino manuscrito
Oficio de Celebraciones Litúrgicas del Sumo Pontífice, Ciudad Estado del Vaticano

Figure 84
Parchment of the election of Pope John Paul I (1978-1978)
1978
Handwritten parchment
25 x 40 cm
9 7/8 x 15 3/4 inches
Office of the Liturgical Celebrations of the Supreme Pontiff, Vatican City State

Pergamino de la elección del Papa Juan Pablo I (1978-1978)
1978
Pergamino manuscrito
Oficio de Celebraciones Litúrgicas del Sumo Pontífice, Ciudad Estado del Vaticano

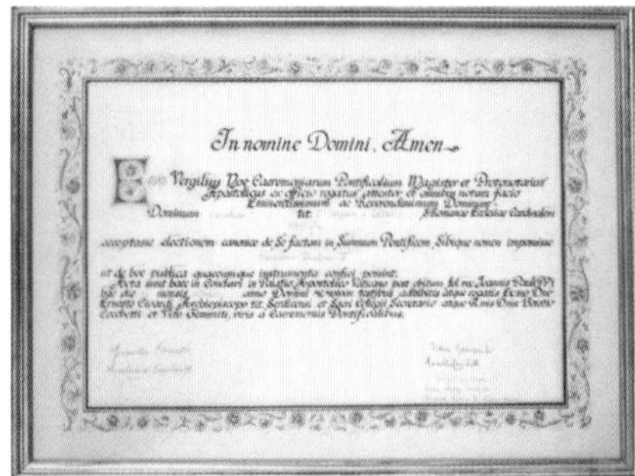

Figure 85
Parchment of the election of Pope John Paul II (1978-2005)
1978
Handwritten parchment
25 x 40 cm
9 7/8 x 15 3/4 inches
Office of the Liturgical Celebrations of the Supreme Pontiff, Vatican City State

Pergamino de la elección del Papa Juan Pablo II (1978-2005)
1978
Pergamino manuscrito
Oficio de Celebraciones Litúrgicas del Sumo Pontífice, Ciudad Estado del Vaticano

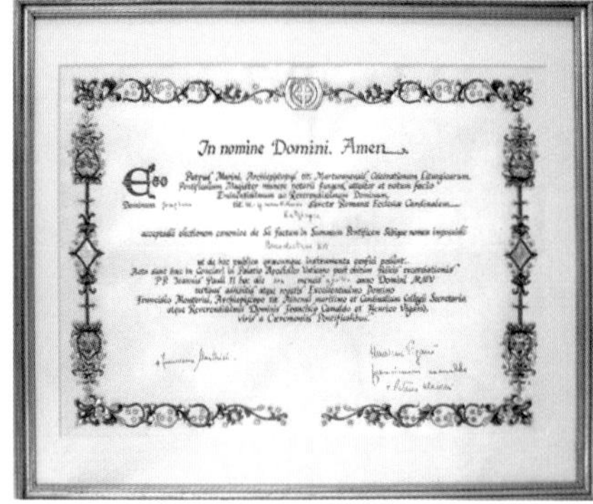

Figure 86
Parchment of the election of Pope Benedict XVI (2005-)
2005
Handwritten parchment
25 x 40 cm
9 7/8 x 15 3/4 inches
Office of the Liturgical Celebrations of the Supreme Pontiff, Vatican City State

Pergamino de la elección del Papa Benedicto XVI (2005-)
2005
Pergamino manuscrito
Oficio de Celebraciones Litúrgicas del Sumo Pontífice, Ciudad Estado del Vaticano

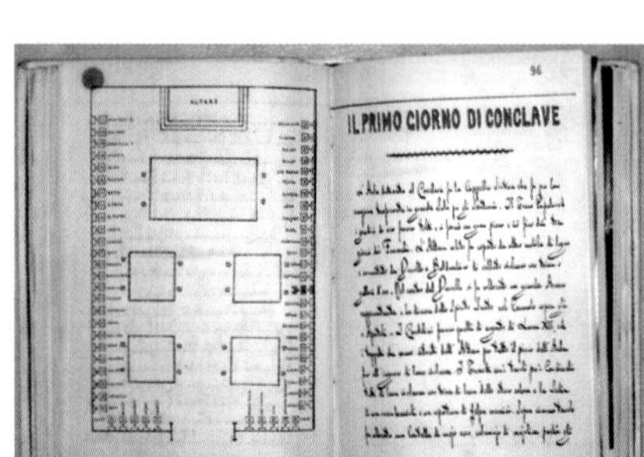

Figure 94
Diary of the Conclave of Pope Benedict XV (1914-1922)
1914 - Nicolò D'Amico
Paper
18 x 24.5 x 3.5 cm
7 x 9 5/8 x 1 3/8 inches
Office of the Liturgical Celebrations of the Supreme Pontiff, Vatican City State

Diario del cónclave del Papa Benedicto XV (1914-1922)
1914 - Nicolò D'Amico
Papel
Oficio de Celebraciones Litúrgicas del Sumo Pontífice, Ciudad Estado del Vaticano

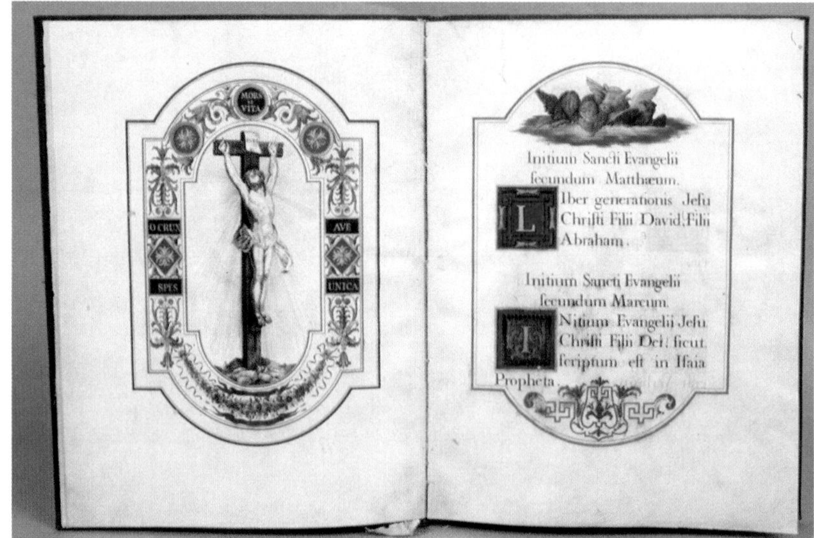

Figure 95
Formulae juramentorum omnium pro conclavi Gregori XVI (1831-1846)
(Formulas for the Oaths for the Conclave of Pope Gregory XVI)
1831
Giuseppe Negri
Paper
28 x 36 x 1.5 cm
11 x 14 1/8 x 1/2 inches
Office of the Liturgical Celebrations of the Supreme Pontiff, Vatican City State

Formulae juramentorum omnium pro conclavi Gregori XVI (1831-1846)
(Fórmulas para los juramentos del cónclave del Papa Gregorio XVI)
1831
Giuseppe Negri
Papel
Oficio de Celebraciones Litúrgicas del Sumo Pontífice, Ciudad Estado del Vaticano

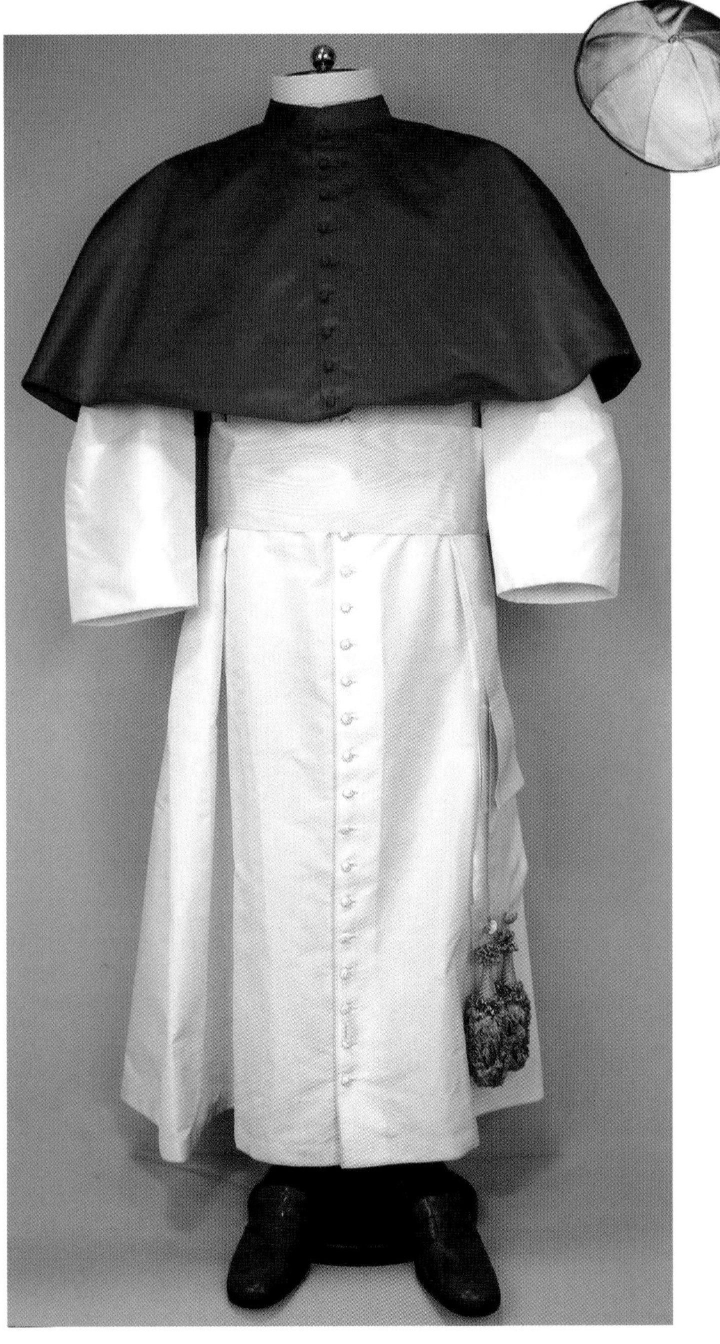

Figure 101
Papal zucchetto
Gammarelli 2005
Silk, leather
17 x 17 x 7 cm
6 3/4 x 6 3/4 x 2 3/4 inches
Office of the Liturgical Celebrations of the Supreme Pontiff, Vatican City State

Zucchetto o capuchón Papal
2005
Seda, cuero
Oficio de Celebraciones Litúrgicas del Sumo Pontífice, Ciudad Estado del Vaticano

Figure 100
Papal shoes (2)
2005
Leather
30 x 10.5 x 10cm
11 3/4 x 4 1/8 x 4 inches
Office of the Liturgical Celebrations of the Supreme Pontiff, Vatican City State

Zapatos papales (2)
2005
Cuero
Oficio de Celebraciones Litúrgicas del Sumo Pontífice, Ciudad Estado del Vaticano

Figure 99
Papal collar
2005
Silk, plastic
15 x 15 x 2.5 cm
6 x 6 x 1 inches
Office of the Liturgical Celebrations of the Supreme Pontiff, Vatican City State

Cuello papal
2005
Seda, plástico
Oficio de Celebraciones Litúrgicas del Sumo Pontífice, Ciudad Estado del Vaticano

Figure 96
Papal cassock
2005
Wool, silk
150 x 44 cm
59 x 17 3/8 inches
Office of the Liturgical Celebrations of the Supreme Pontiff, Vatican City State

Sotana papal
2005
Lana, seda
Oficio de Celebraciones Litúrgicas del Sumo Pontífice, Ciudad Estado del Vaticano

Figure 97
Papal sash
2005
Silk, golden thread
20 x 13 cm
7 3/4 x 5 1/8 inches
Office of the Liturgical Celebrations of the Supreme Pontiff, Vatican City State

Ceñidor o cinto papal
2005
Seda, hilo dorado
Oficio de Celebraciones Litúrgicas del Sumo Pontífice, Ciudad Estado del Vaticano

Figure 98
Papal mozzetta
2005
Silk
75 x 46.5 cm
29 1/2 x 18 1/4 inches
Office of the Liturgical Celebrations of the Supreme Pontiff, Vatican City State

Mozzetta o capa papal
2005
Seda
Oficio de Celebraciones Litúrgicas del Sumo Pontífice, Ciudad Estado del Vaticano

Celebrations

The rituals involved in public worship are called the liturgy, the most important instructive moment in the life of the Church. Through the senses of sight, sound, and touch, the liturgy puts participants in direct contact with Jesus. For this reason, the Church has dedicated special attention to the celebration of the liturgy and to its objects and vestments. The beauty and preciousness of these objects help the spirit raise itself to the beauty and greatness of God.

The importance of liturgy is not only valid for the Catholic form of worship. In many cultures and religions, liturgical objects and clothing take on a solemnity and importance that distinguishes them from those of our daily lives.

At the heart of the liturgy is the celebration of the mass. It allows worshipers to experience one of the central events in the life of Jesus: the Last Supper. It was at this Passover celebration that Jesus gave bread to his disciples, saying, "Take this and eat; this is my body," and raised a cup of wine, saying, "Take and drink, for this is my blood . . ."

The mass sacramentally recreates this experience. For Catholics, the wafer, or host, on the paten and the wine in the chalice become the body and blood of Jesus through the priest's words of consecration. By participating in this ceremony, worshipers experience a communion with Jesus, bringing him into their daily lives in a tangible way.

This section of the exhibition displays liturgical objects and vestments from the Vatican's Pontifical Sacristy. Here is the exquisite setting of the celebration of the mass.

Celebraciones

Los rituales involucrados en la adoración pública se llaman liturgias, y son los momentos para la enseñanza más importantes en la vida de la Iglesia. A través de la vista, los sonidos y el tacto, la liturgia pone a los participantes en contacto directo con Jesús. Por ésta razón la iglesia ha dedicado especial atención a la celebración de la liturgia, incluyendo sus objetos y vestuarios. La belleza y valor inapreciable de estos objetos ayuda a elevar el espíritu mismo hacia la belleza y grandeza de Dios.

La importancia de la liturgia no es válida sólo como manera de adoración católica. En numerosas culturas y religiones, los objetos litúrgicos y los vestuarios asumen una solemnidad e importancia que los diferencian de aquellos que usamos en nuestra vida diaria.

En el corazón de la liturgia está la celebración de la misa. Permite a los creyentes experimentar uno de los principales eventos en la vida de Jesús: la última cena. Fue durante su celebración de la Pascua que Jesús le dio pan a sus discípulos diciendo "Tomad y comed, este es mi cuerpo" y levantó el cáliz con vino diciendo "Tomad y bebed, porque esta es mi sangre…"

La misa recrea sagradamente esta experiencia. Para los católicos, la hostia sobre la patena y el vino en el cáliz se convierten en el cuerpo y la sangre de Jesús, a través de las palabras de consagración usadas por el sacerdote. Al participar en esta ceremonia, los fieles experimentan una comunión con Jesús, trayéndolo así a sus vidas de una manera tangible.

Esta parte de la exhibición contiene objetos litúrgicos y vestiduras de la Sacristía Pontificia del Vaticano. Una exquisita muestra de la celebración de la misa.

Figure 105
Cope of Pope Pius IX (1846-1878)
Second half of the 19th Century
Red silk, gold and silver thread, metal inserts
280 x 120 cm (folded)
110 1/4 x 47 1/4 inches (folded)
Office of the Liturgical Celebrations of the Supreme Pontiff, Vatican City State

Capa del Papa Pío IX (1846-1878)
Segunda mitad del siglo 19
Seda roja, hilo de oro y plata con insertos metálicos.
Oficio de Celebraciones Litúrgicas del Sumo Pontífice, Ciudad Estado del Vaticano

Figure 108
Chasuble of Pope Pius XI (1922-1939)
1926
Poor Clare Franciscan Nuns
Multicolored silk, gold thread
105 x 61 cm
41 3/8 x 24 inches
Office of the Liturgical Celebrations of the Supreme Pontiff, Vatican City State

Casulla del Papa Pío XI (1922-1939)
1926
Pobres hermanas Clarisas Franciscanas
Seda multicolor, hilo de oro
Oficio de Celebraciones Litúrgicas del Sumo Pontífice, Ciudad Estado del Vaticano

Figure 109
Alb of Pope Pius XI (1922-1939)
1926
Linen, multicolored silk
153 x 90 cm
60 1/2 x 35 1/2 inches
Office of the Liturgical Celebrations of the Supreme Pontiff, Vatican City State

Alba del Papa Pío XI (1922-1939)
1926
Lino, seda multicolor
Oficio de Celebraciones Litúrgicas del Sumo Pontífice, Ciudad Estado del Vaticano

Figure 110
Thuribile, Incense Boat, and Spoon
18th Century
Thurible: M. Zvanne Nodaro
Incense boat, spoon: A.B.B. (Naples, Italy)
Silver
35 x 16 x 16 cm
13 3/4 x 6 3/8 x 6 3/8 inches
Office of the Liturgical Celebrations of the Supreme Pontiff, Vatican City State

Quemador de incienso, naveta y cuchara
Siglo 18
Quemador: M. Zvanne Nodaro
Naveta y cuchara: A.B.B. (Nápoles, Italia)
Plata
Oficio de Celebraciones Litúrgicas del Sumo Pontífice, Ciudad Estado del Vaticano

Figure 112 - 113 - 114 - 115
Mass cruet for the wine of Pope Pius IX (1846-1878)
1864-1867
Pierre Bossan [1814-1888], Lyon, France
Gilt silver, gilt bronze, cut glass, enamel, amethyst
25.5 x 11.5 x 11.5cm
10 x 4 1/2 x 4 1/2 inches
Office of the Liturgical Celebrations of the Supreme Pontiff, Vatican City State

Vinajera para misa del Papa Pío IX (1846-1878)
1864-1867
Pierre Bossan [1814-1888], Lion, Francia
Plata dorada, bronce dorado, cristal cortado, esmalte, amatista
Oficio de Celebraciones Litúrgicas del Sumo Pontífice, Ciudad Estado del Vaticano

Mass cruet for the water of Pope Pius IX
Gilt silver, gilt bronze, cut glass, enamel, amethyst
25.5 x 11.5 x 11.5cm
10 x 4 1/2 x 4 1/2 inches

Vinajera de agua para misa del Papa Pío IX (1846-1878)
Plata dorada, bronce dorado, cristal cortado, esmalte, amatista

Plate for mass-cruets of Pope Pius IX
Gilt silver, gilt bronze, cut glass, enamel, amethyst
46.5 x 15 x 2 cm
18 1/4 x 6 x 3/4 inches

Plato para vinajeras de misa del Papa Pío IX (1846-1878)
Plata dorada, bronce dorado, cristal cortado, esmalte, amatista

Bell for mass-cruets of Pope Pius IX
Gilt silver, gilt bronze, cut glass, enamel, amethyst
16 x 6.5 x 6.5 cm
6 1/4 x 2 1/2 x 2 1/2 inches

Campana para vinajeras de agua para misa del Papa Pío IX (1846-1878)
Plata dorada, bronce dorado, cristal cortado, esmalte, amatista

Figure 117
Lavabo Pitcher of Pope Leo XIII (1878-1903)
1887
L. Rey (Marseille, France)
Silver, gold-plated silver, enamel
Office of the Liturgical Celebrations of the Supreme Pontiff, Vatican City State

Cántaro lavatorio del Papa León XIII (1878-1903)
1887
L. Rey (Marsella, Francia)
Plata, oro plateado, plata, esmalte
Oficio de Celebraciones Litúrgicas del Sumo Pontífice, Ciudad Estado del Vaticano

Figure 118
Plate for Lavabo of Pope Leo XIII (1878-1903)
1887
L. Rey (Marseille, France)
Silver, gold-plated silver, enamel
34 x 34 x 5 cm
13 3/8 x 13 3/8 x 2 inches
Office of the Liturgical Celebrations of the Supreme Pontiff, Vatican City State

Plato para Lavatorio del Papa León XIII (1878-1903)
1887
L. Rey (Marsella, Francia)
Plata, plata en oro-plateado, esmalte
Oficio de Celebraciones Litúrgicas del Sumo Pontífice, Ciudad Estado del Vaticano

Figure 125
Miter of Cardinal Giovanni Battista Montini, later Pope Paul VI (1963-1978)
1954
Sisters of Saint Marta Congregation
Silver thread, golden thread, silk, gems
86 x 35 cm
33 7/8 x 13 3/4 inches
Office of the Liturgical Celebrations of the Supreme Pontiff, Vatican City State

Mitra o tiara del Cardenal Giovanni Battista Montini, más tarde Papa Pablo VI (1963-1978)
1954
Hermanas de la Congregación de Santa Marta
Hilo de plata, hilo de oro, seda, gemas
Oficio de Celebraciones Litúrgicas del Sumo Pontífice, Ciudad Estado del Vaticano

Figure 209
Pectoral Cross of Pope Paul VI (1963-1978)
1977
Manlio Del Vecchio
Gold, emeralds, pearls (inside: relic of Saint Raffaella Maria del S. Cuore)
16.3 x 11 x 1.5 cm
6 1/2 x 4 1/2 x 5/8 inches
Office of the Liturgical Celebrations of the Supreme Pontiff, Vatican City State

Cruz al pecho del Papa Pablo VI (1963-1978)
1977
Manlio Del Vecchio
Oro, esmeraldas, perlas (adentro: relicario de Santa Rafaella Maria del S. Cuore)
Oficio de Celebraciones Litúrgicas del Sumo Pontífice, Ciudad Estado del Vaticano

Figure 126
Papal tiara of Pope Pius XI (1922-1939)
1922
L. Beltrami, I. Monti, G. Ravasco (Milano)
Silver, gold-plated silver, diamonds, emeralds, rubies, malachite, enamel
35 x 23 x 23 cm
13 3/4 x 9 x 9 inches
Office of the Liturgical Celebrations of the Supreme Pontiff, Vatican City State

Mitra o tiara del Papa Pío XII (1922-1939)
1922
L. Beltrami, I. Monti, G. Ravasco (Milán)
Plata, plata en oro-plateado, diamantes, esmeraldas, rubíes, malaquita, esmalte
Oficio de Celebraciones Litúrgicas del Sumo Pontífice, Ciudad Estado del Vaticano

Figure 184
Processional Cross of Pope Pius IX
1863
Silver, gold plated silver
62 x 28.5 x 28 cm
24 3/8 x 11 1/4 x 11 inches
Office of the Liturgical Celebrations of the Supreme Pontiff, Vatican City State

Cruz papa procesiones del Papa Pío IX
1863
Plata, plata en oro plateado
Oficio de Celebraciones Litúrgicas del Sumo Pontífice, Ciudad Estado del Vaticano

Figure 107
Dalmatic of the Paul V Papacy (1605-1621)
Early 17th century
Brocade, gold thread, silk
130 x 113 cm
51 1/8 x 44 1/2 inches
Office of the Liturgical Celebrations of the Supreme Pontiff, Vatican City State

Dalmática del papado de Pablo V (1605-1621)
Principios del siglo 17
Brocado, hilo de oro, seda
Oficio de Celebraciones Litúrgicas del Sumo Pontífice, Ciudad Estado del Vaticano

Figure 116
Pastoral Staff of Pope Leo XIII (1878-1903)
1860
Gilt silver, mosaic, topaz, citrine quartz, smoky quartz, amethysts, emeralds, sapphires, hessonite garnets
176 x 20 x 9 cm
69 1/4 x 7 7/8 x 3 1/2 inches
Office of the Liturgical Celebrations of the Supreme Pontiff, Vatican City State

Báculo pastoral del Papa León XIII (1878-1903)
1860
Plata dorada, mosaico, topacio, cuarzo citrino, cuarzo ahumado, amatistas, esmeraldas, zafiros, hessonite granate
Oficio de Celebraciones Litúrgicas del Sumo Pontífice, Ciudad Estado del Vaticano

Figure 120
Clasp of Pope Leo XIII (1878-1903)
1887
Francisco Marzo, Spagna
Gold, diamonds, sapphires
19 x 11 x 4 cm
7 1/2 x 4 3/8 x 1 1/2 inches
Office of the Liturgical Celebrations of the Supreme Pontiff, Vatican City State

Broche o prendedor del Papa León XIII (1878-1903)
1887
Francisco Marzo, España
Oro, diamantes, zafiros
Oficio de Celebraciones Litúrgicas del Sumo Pontífice, Ciudad Estado del Vaticano

Figure 122
Chalice given to Pope Pius XI (1922-1939)
16th Century
Gold-plated silver, diamonds, sapphires, enamel
28 x 18.5 x 18.5 cm
11 x 7 1/4 x 7 1/4 inches
Office of the Liturgical Celebrations of the Supreme Pontiff, Vatican City State

Cáliz regalado al papa Pío XI (1922-1939)
Siglo 16
Plata en oro plateado, diamantes, zafiros, esmalte
Oficio de Celebraciones Litúrgicas del Sumo Pontífice, Ciudad Estado del Vaticano

Figure 123
Chalice of Pope Leo XIII (1878-1903)
1887
T. Laurent (Lion, France)
Gold-plated silver, enamel, diamonds, rubies, pearls
29.5 x 17 x 17 cm
11 5/8 x 6 5/8 x 6 5/8 inches
Office of the Liturgical Celebrations of the Supreme Pontiff, Vatican City State

Cáliz del papa León XIII (1878-1903)
1887
T. Laurent (Lion, Francia)
Plata en oro plateado, esmalte, diamantes, rubíes, perlas
Oficio de Celebraciones Litúrgicas del Sumo Pontífice, Ciudad Estado del Vaticano

Figure 124
Paten of Pope Leo XIII (1878-1903)
1887
T. Laurent (Lion, France)
Gold-plated silver, enamel, diamonds
16 x 16 x 2 cm
6 5/8 x 6 5/8 x 3/4 inches
Office of the Liturgical Celebrations of the Supreme Pontiff, Vatican City State

Patena del Papa León XIII (1878-1903)
1887
T. Laurent (Lion, Francia)
Plata en oro plateado, esmalte, diamantes
Oficio de Celebraciones Litúrgicas del Sumo Pontífice, Ciudad Estado del Vaticano

Figure 106
Ciborium of Pope Pius IX (1846-1878)
1867
Thomas Armand-Calliat, Pierre Bossan (Lion, France)
Gold-plated silver, champlevé enamel, gems
35 x 18.5 x 18.5 cm
13 3/4 x 7 1/4 x 7 1/4 inches
Office of the Liturgical Celebrations of the Supreme Pontiff, Vatican City State

Ciborio del Papa Pío IX (1846-1878)
1867
Thomas Armand-Calliat, Pierre Bossan (Lion, Francia)
Plata en oro plateado, grabado esmaltado, gemas
Oficio de Celebraciones Litúrgicas del Sumo Pontífice, Ciudad Estado del Vaticano

Figure 121
Monstrance of Pope Leo XIII (1878-1903)
1887
E. Collamarini, A. Zanetti, Bologna (Italy)
Gilt silver, diamonds, rubies, enamel
70 x 19 x 19 cm
27 1/2 x 7 1/2 x 7 1/2 inches
Office of the Liturgical Celebrations of the Supreme Pontiff, Vatican City State

Custodia del Papa León XIII (1878-1903)
1887
E. Collamarini, A. Zanetti, Bologna (Italia)
Plata dorada, diamantes, rubíes, esmalte
Oficio de Celebraciones Litúrgicas del Sumo Pontífice, Ciudad Estado del Vaticano

Figure 119
Pax of Pope Pius IX (1846-1878) for the Rite of Peace
1877
A. Curti, F. Vespignani – Rome
Gold-plated silver, diamonds, rubies, pearls, enamel
20.5 x 14.5 x 8 cm
8 x 5 3/4 x 3 1/8 inches
Office of the Liturgical Celebrations of the Supreme Pontiff, Vatican City State

Pax del Papa Pío IX (1846-1878) para el Ritual de la Paz
1877
A. Curti, F. Vespignani – Roma
Plata dorada, diamantes, rubíes, perlas, esmalte
Oficio de Celebraciones Litúrgicas del Sumo Pontífice, Ciudad Estado del Vaticano

Figure 104
Table Cross of Pope Leo XII (1878-1903)
Gold, diamonds, emeralds, rubies, pearls, sapphires
50 x 18.5 x 10.5 cm
19 3/4 x 7 1/4 x 4 1/8 inches
Office of the Liturgical Celebrations of the Supreme Pontiff, Vatican City State

Cruz de mesa del Papa León XIII (1878-1903)
1887
Oro, diamantes, esmeraldas, perlas, zafiros.
Oficio de Celebraciones Litúrgicas del Sumo Pontífice, Ciudad Estado del Vaticano

Figure 102
Missal of Pope Leo XIII (1878-1903)
1882
Assembled in Spain, printed in Germany
Silver, enamel, velvet, gilded metal, garnets, precious, stones, silk
42 x 30 x 8 cm
16 1/2 x 11 3/4 x 3 1/8 inches
Office of the Liturgical Celebrations of the Supreme Pontiff, Vatican City State

Misal del Papa León XIII (1878-1903)
1882
Ensamblado en España, impreso en Alemania
Plata, esmalte, terciopelo, metal dorado, granates, piedras preciosas, seda
Oficio de Celebraciones Litúrgicas del Sumo Pontífice, Ciudad Estado del Vaticano

Dialogue with the World

For centuries, the Church has carried its message outside Rome to the rest of the world. The effort has primarily taken three forms.

Missionary Activity. Missionary activity is an integral and essential part of the nature of the Church. Following Jesus' urging, the Apostles themselves carried their message to the farthest corners of the known world.

Religious Dialogue. Pope John Paul II is a prime example of this effort. He searched passionately for dialogue with everyone, in a direct relationship, in their own places of origin. His journeys demonstrated his desire to communicate, not only with the church throughout the world, but with other Christian and non-Christian religions, with all persons of good will. Benedict XVI is continuing this tradition.

Teaching Activity. As the successor of Saint Peter, the pope is the interpreter of God's Word to the Catholic community. The symbol of this activity is the chair. To underline the role of the pope and bishops as guides of the community, the main church of every bishop was originally called the bishop's "cathedral." In English the term is now rendered as "see" from the Latin "sedia" or chair.

A by-product of this effort has been to help transmit to the world knowledge of the cultures and religions of many lands.

This section highlights object from around the world, including the first modern atlas, a Tibetan hanging scroll given to Pope John Paul II by the Dalai Lama, a rare 15th century Aztec sculpture of the god, Quetzalcoatl, and a missal stand that belonged to the chaplain on Christopher Columbus' first voyages to the Americas.

Diálogo con el mundo

Por siglos, la iglesia ha llevado su mensaje fuera de Roma, al resto del mundo. Este esfuerzo se ha realizado principalmente de tres maneras:

Actividad misionera. La actividad misionera es una parte esencial e integral de la naturaleza de la iglesia. Siguiendo la exhortación de Jesús, los mismos apóstoles llevaron el mensaje a las esquinas más alejadas del mundo conocido.

Diálogo religioso. El Papa Juan Pablo II es un claro ejemplo de este esfuerzo. Buscó apasionadamente el diálogo con todas las personas, a través de una relación directa, en su lugar de origen. Sus viajes demostraron ese deseo de comunicarse, no sólo con la iglesia al rededor del mundo sino con otras religiones cristianas y no cristianas, con todas las personas de buena voluntad. Benedicto XVI ha continuado esta tradición.

Actividad de enseñanza: Como sucesor de San Pedro, el Papa es el intérprete de la palabra de Dios para la comunidad Católica. El símbolo de esta actividad es la cátedra (silla) o púlpito. Para subrayar el papel del Papa y los obispos como guías de la comunidad, la iglesia principal de cada obispado era llamada originalmente la "catedral" del obispo. En inglés, el terminó ahora se interpreta como "see", del latín "sedia" que se refiere a la sede o silla, que es también la jurisdicción de un obispado.

Un resultado de este esfuerzo ha sido ayudar a transmitir al mundo el conocimiento de culturas y religiones de otras tierras.

Esta sección presenta objetos de todo el mundo, incluyendo el primer atlas moderno, un pergamino tibetano ofrecido al Papa Juan Pablo II por el Dalai Lama, una exótica estatua azteca del dios Quetzalcoatl y un soporte para misal que perteneció al capellán que acompañó a Cristóbal Colón en sus primeros viajes a América.

Figure 127
Replica of the Old *Cathedra* of Saint Peter
20th century reproduction of 1705 replica
Inlaid oak
140 x 85 x 65 cm
55 x 33 1/2 x 25 1/2 inches
The Reverenda Fabbrica of Saint Peter,
Vatican City State

Réplica de la vieja *cathedra* de San Pedro
Reproducción del siglo 20 de una réplica
de 1705.
Roble con incrustaciones
La Reverenda Fabbrica de San Pedro,
Ciudad Estado del Vaticano

Figure 149
Armenian Bible
1733
Mechitar (1676-1749)
Paper
32 cm
12 5/8 inches
Congregation for the Evangelization of Peoples, Vatican City State

Biblia armenia
1733
Mechitar (1676-1749)
Papel
Congregación para la Evangelización de los Pueblos, Ciudad Estado del Vaticano

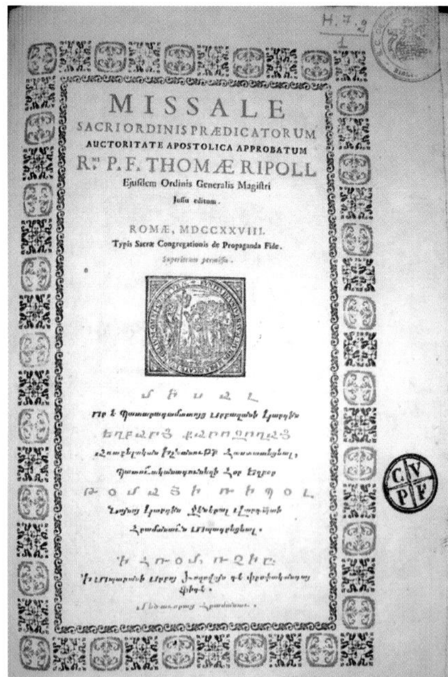
MISSALE
SACRI ORDINIS PRÆDICATORUM
AUCTORITATE APOSTOLICA APPROBATUM
R.mi P. F. THOMÆ RIPOLL
Ejusdem Ordinis Generalis Magistri
Jussu editum.

ROMÆ, MDCCXXVIII.
Typis Sacræ Congregationis de Propaganda Fide.
Superiorum permissu.

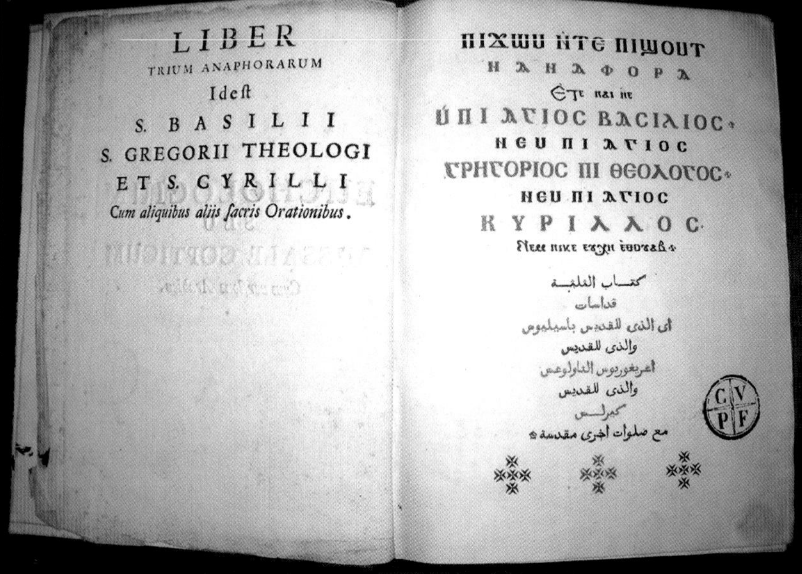
LIBER
TRIUM ANAPHORARUM
Ideſt
S. BASILII
S. GREGORII THEOLOGI
ET S. CYRILLI
Cum aliquibus aliis ſacris Orationibus.

Figure 132
Missale sacri Ordinis Prædicatorum auctoritate apostolica approbatum (Dominican Missal approved by apostolic authority)
1728
Propaganda Fide
Paper
Congregation for the Evangelization of Peoples, Vatican City State

Missale sacri Ordinis Prædicatorum auctoritate apostolica approbatum
(Misal Dominico aprobado por la autoridad apostólica)
1728
Propaganda de Fe
Papel
Congregación para la Evangelización de los Pueblos, Ciudad Estado del Vaticano

Figure 150
Coptic and Arabic Missal
1736
Rufa'il at-Tuhi
Paper
25 x 20 x 6 cm
9 7/8 x 7 7/8 x 2 3/8 inches
Congregation for the Evangelization of Peoples, Vatican City State

Copto (Cristiano de Egipto) y Misal arábigo
1736
Rufa'il at-Tuhi
Papel
Congregación para la Evangelización de los Pueblos, Ciudad Estado del Vaticano

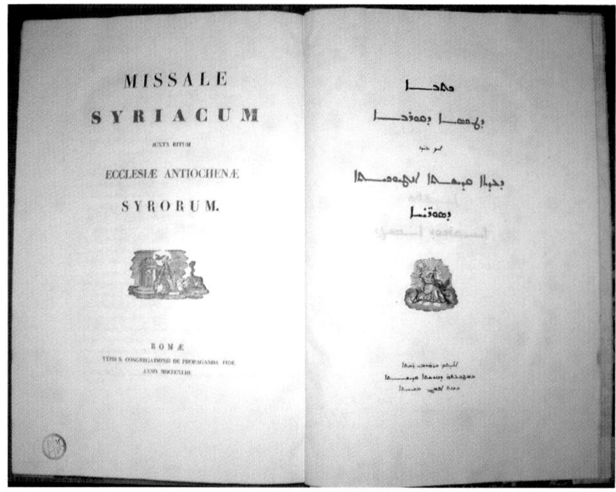
MISSALE
SYRIACUM
ECCLESIÆ ANTIOCHENÆ
SYRORUM.
ROMÆ

Figure 151
Syriac missal
1843
Propaganda Fide
Paper
41 x 28 x 4 cm
16 1/8 x 11 x 1 1/2 inches
Congregation for the Evangelization of Peoples, Vatican City State

Misal Siríaco (de Siria)
1843
Propaganda de Fe
Papel
Congregación para la Evangelización de los Pueblos, Ciudad Estado del Vaticano

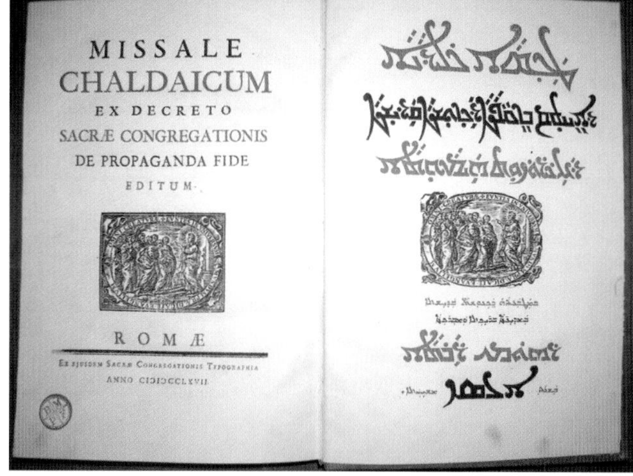
MISSALE
CHALDAICUM
EX DECRETO
SACRÆ CONGREGATIONIS
DE PROPAGANDA FIDE
EDITUM
ROMÆ
EX EJUSDEM SACRÆ CONGREGATIONIS TYPOGRAPHIA
ANNO CIƆIƆCCLXVII

Figure 152
Chaldaic missal
1767
Propaganda Fide
Paper
32 x 24 x 7 cm
12 5/8 x 9 1/2 x 2 3/4 inches
Congregation for the Evangelization of Peoples, Vatican City State

Misal Caldeo
1767
Propaganda de Fe
Papel
Congregación para la Evangelización de los Pueblos, Ciudad Estado del Vaticano

Figure 154
Souvenirs d'Afrique : 1882-1911
Jean Simon, 1924
Handwritten paper, watercolor drawings, parchment cover
29 x 5 cm
14 1/2 x 11 1/2 x 2 inches
Congregation for the Evangelization of Peoples, Vatican City State

Souvenirs d'Afrique: 1882-1911
Jean Simon, 1924
Papel manuscrito, dibujos en acuarela, cubierta de pergamino
Congregación para la Evangelización de los Pueblos, Ciudad Estado del Vaticano

Figure 155
Arabic Bible
1671
Propaganda Fide
Paper
38 x 28 x 6 cm
15 x 11 x 2 3/8 inches
Congregation for the Evangelization of Peoples, Vatican City State

Biblia arábiga
1671
Propaganda de Fe
Papel
Congregación para la Evangelización de los Pueblos, Ciudad Estado del Vaticano

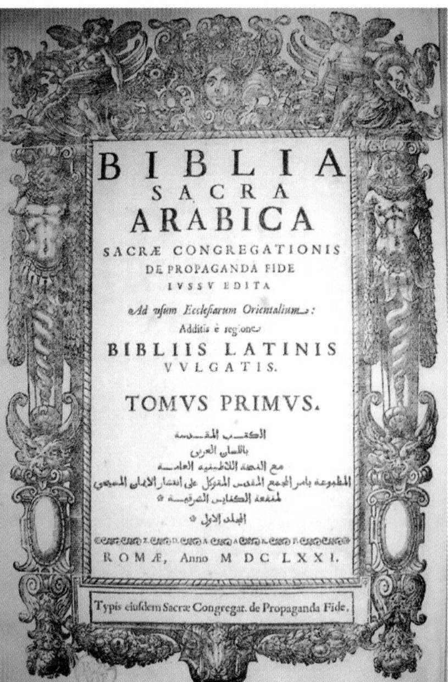

BIBLIA
SACRA
ARABICA
SACRÆ CONGREGATIONIS
DE PROPAGANDA FIDE
IVSSV EDITA
Ad usum Ecclesiarum Orientalium:
Additis è regione
BIBLIIS LATINIS
VVLGATIS.
TOMVS PRIMVS.
ROMÆ, Anno M DC LXXI.
Typis eiusdem Sacræ Congregat. de Propaganda Fide.

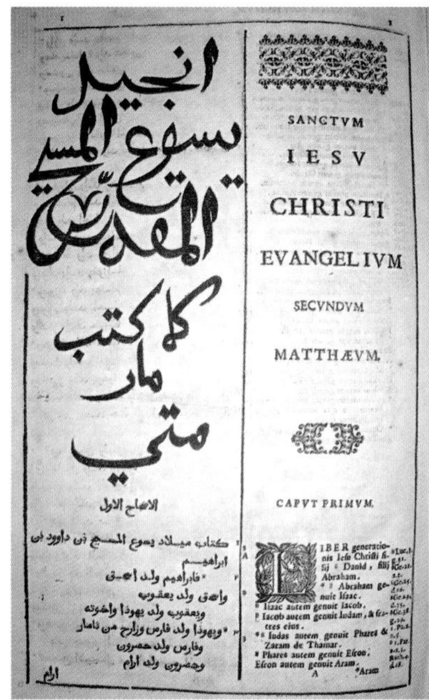

انجيل
يسوع المسيح
المقدس
كما كتب
مار
متي

SANCTVM
IESV
CHRISTI
EVANGELIVM
SECVNDVM
MATTHÆVM.
CAPVT PRIMVM.

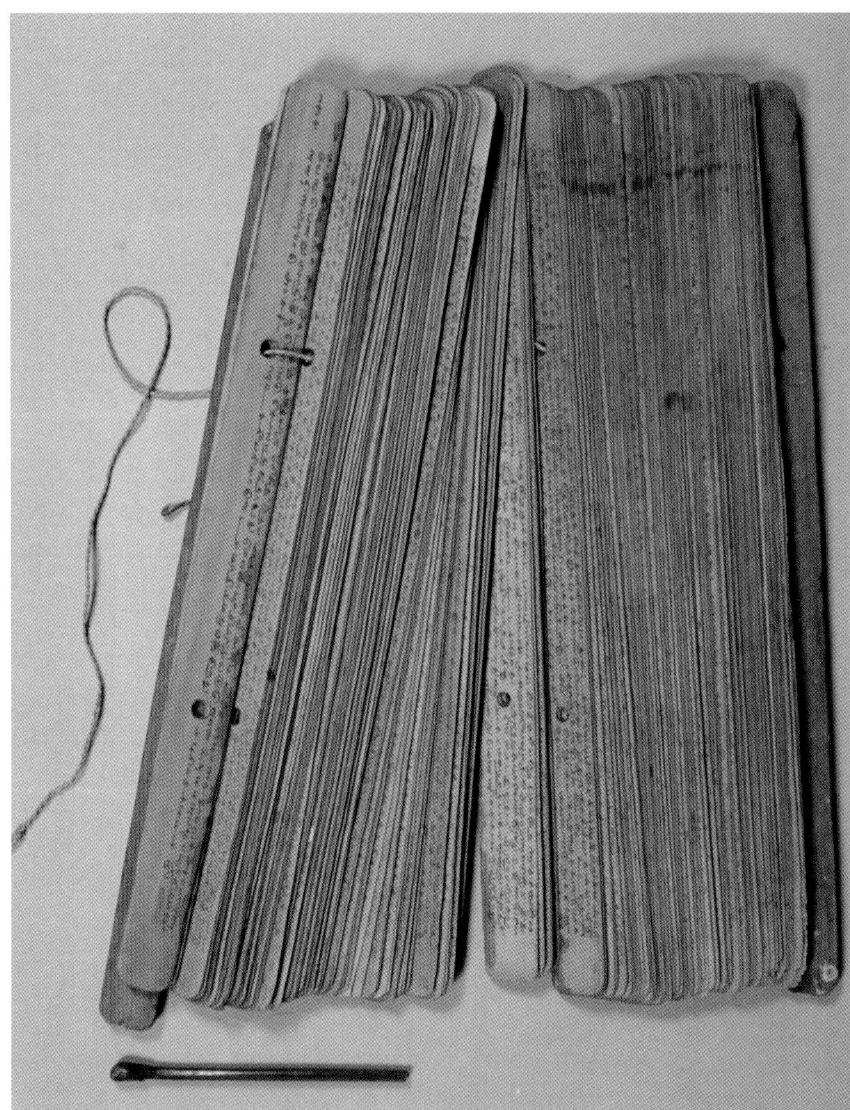

Figure 130
Book in Tamil Language about Saint Francis Saverio's Life
First half of the 17th century
Ignacimuthu Mudaliyar
Palm leaves, wood
11 x 40 x 3 cm
4 3/8 x 15 3/4 x 1 1/8 inches
Congregation for the Evangelization of Peoples, Vatican City State

Libro en idioma Tamil sobre la vida de Francis Saverio
Primera mitad del siglo 17
Ignacimuthu Mudaliyar
Hojas de palma, madera
Congregación para la Evangelización de los Pueblos, Ciudad Estado del Vaticano

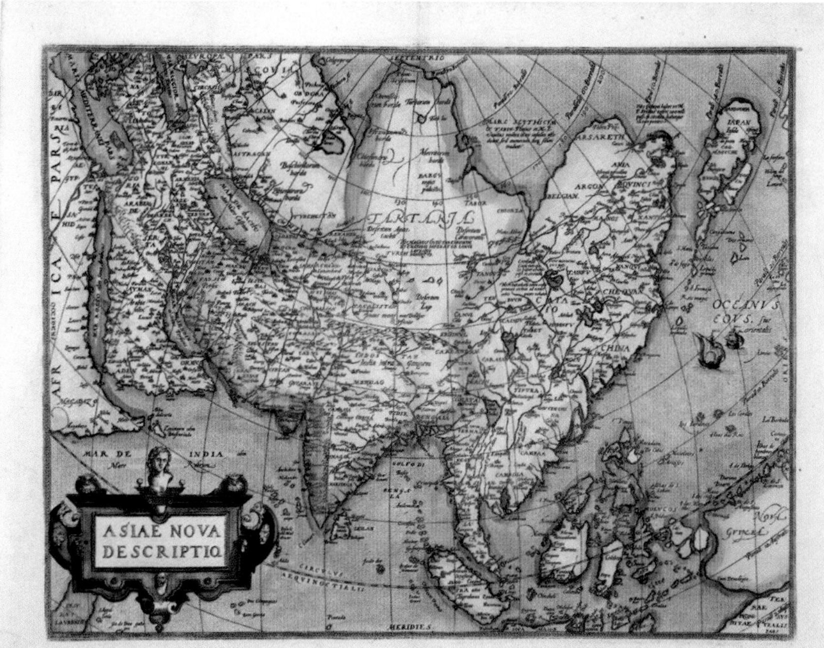

Figure 139
Asiae nova descriptio
(A new description of Asia)
1573
Printed by Coppenium Diesth
Paper
41.5 x 54.2 cm
16 3/8 x 21 3/8 inches
Congregation for the Evangelization of Peoples, Vatican City State

Asiae nova descriptio
(Una nueva descripción de Asia)
1573
Impreso por Coppenium Diesth
Papel
Congregación para la Evangelización de los Pueblos, Ciudad Estado del Vaticano

NOMENCLATOR
PTOLEMAICVS;

OMNIA LOCORVM VOCABVLA QVÆ IN TOTA PTOLEMÆI Geographia occurrunt, continens: ad fidem Græci codicis purgatus; & in ordinem non minus vtilem quàm elegantem digestus.

ANTVERPIÆ,
Abrahamo Ortelio Cosmographo Regio,
excudebat Christophorus Plantinus.
M. D. LXXXIIII.

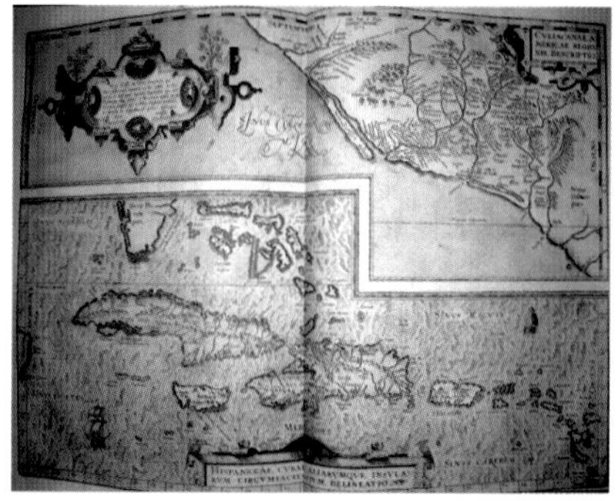

Figure 145
Nomenclator Ptolemaicus (atlas)
1584
Abraham Ortelius (c1527-1598)
Paper
53 x 25 x 10 cm
20 7/8 x 13 3/4 x 4 inches
Congregation for the Evangelization of Peoples, Vatican City State

Nomenclator Ptolemaicus (atlas)
1584
Abraham Ortelius (aprox. 1527-1598)
Papel
Congregación para la Evangelización de los Pueblos, Ciudad Estado del Vaticano

Figure 146

Atlas sive Cosmographicae meditationes de fabrica mvndi et fabricati figvra (Atlas or cosmographic meditations on the structure of the world and the shape of the structure)

1623

Gerardus Mercator (1512-1594)

Paper

55 x 35 x 15 cm

21 5/8 x 13 3/4 x 6 inches

Congregation for the Evangelization of Peoples, Vatican City State

Atlas sive Cosmographicae meditationes de fabrica mvndi et fabricati figura (Atlas o meditaciones cosmográficas sobre la estructura del mundo y la forma de la estructura)

1623

Gerardus Mercator (1512-1594)

Papel

Congregación para la Evangelización de los Pueblos, Ciudad Estado del Vaticano

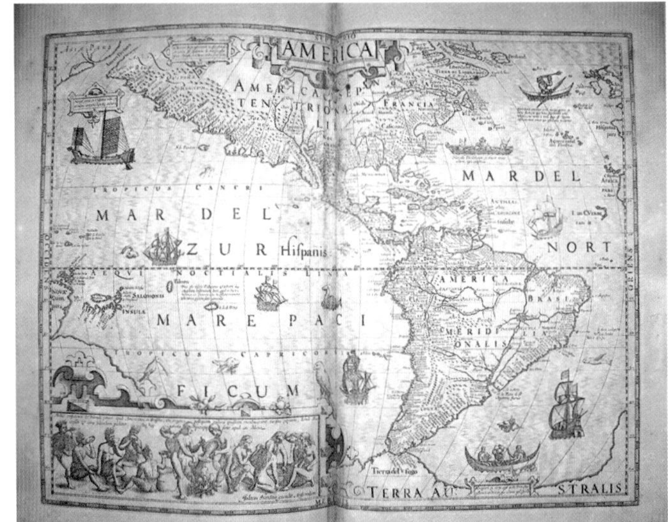

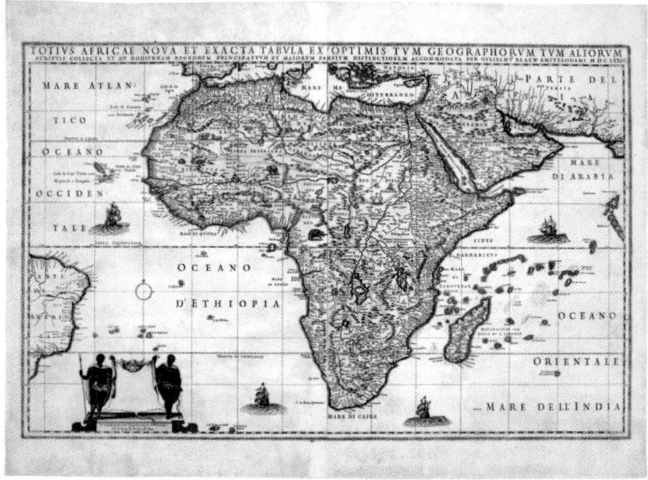

Figure 138
Totius Africae nova et exacta tabula (A new and accurate map of the whole of Africa)
1679
Willem Janszoon Blaeu (1571-1638)
Paper
68.6 x 95.6 cm
27 x 37 5/8 inches
Congregation for the Evangelization of Peoples, Vatican City State

Totius Africae nova et exacta tabula (Un mapa nuevo y preciso de toda África)
1679
Willem Janszoon Blaeu (1571-1638)
Papel
Congregación para la Evangelización de los Pueblos, Ciudad Estado del Vaticano

Figure 141
Asia noviter delineata (Asia newly delineated)
17th Century
Willem Janszoon Blaeu (1571-1638)
Paper
47.5 x 60 cm
18 3/4 x 23 5/8 inches
Congregation for the Evangelization of Peoples, Vatican City State

Asia noviter delineata (Asia recientemente delineada)
Siglo 17
Willem Janszoon Blaeu (1571-1638)
Papel
Congregación para la Evangelización de los Pueblos, Ciudad Estado del Vaticano

Figure 140
Chinae olim Sinarum regionis, noua descriptio (A new description of China, formerly the Region of the Sinae)
1584
Ludovico Giorgio (Antwerp)
Paper
45.7 x 56.5 cm
18 x 22 1/4 inches
Congregation for the Evangelization of Peoples, Vatican City State

Chinae olim Sinarum regionis, noua description (Una nueva descripción de China, antes conocida como la Región de Siane)
1584
Ludovico Giorgio (Amberes)
Papel
Congregación para la Evangelización de los Pueblos, Ciudad Estado del Vaticano

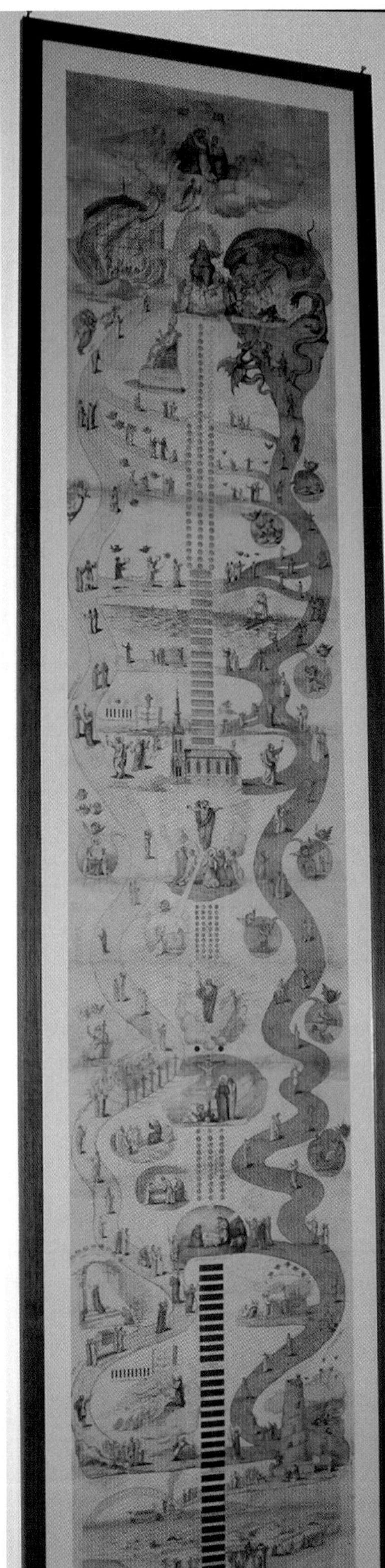

Figure 142
Illustrated Catechism for Instructing Native Americans
19th Century
Fra' A. Lacombe (Canada)
Paper
200 x 30 cm
78 3/4 x 11 3/4 inches
Congregation for the Evangelization of Peoples, Vatican City State

Catecismo ilustrado para enseñar a los indios americanos
Siglo 19
Fra' A. Lacombe (Canada)
Papel
Congregación para la Evangelización de los Pueblos, Ciudad Estado del Vaticano

Figure 143
Chinese Golden Scroll
19th century
Silk, gold, paper
200 x 30 cm
87 3/8 x 18 7/8 inches
Congregation for the Evangelization of Peoples, Vatican City State

Pergamino dorado chino
Siglo 19
Seda, oro, papel
Congregación para la Evangelización de los Pueblos, Ciudad Estado del Vaticano

Figure 144
Chinese Red Scroll
19th century
Silk, paper
312 x 66 cm
122 7/8 x 26 inches
Congregation for the Evangelization of Peoples, Vatican City State

Pergamino rojo chino
Siglo 19
Seda, papel
Congregación para la Evangelización de los Pueblos, Ciudad Estado del Vaticano

Figure 147
Blue cloth drape with Tokugawa shogun heraldry
17th-19th Century
Japan (1603-1868),
Cardinal Marella collection
Silk, gold
307 x 70 x 5 cm
120 7/8 x 27 1/2 x 2 inches
Congregation for the Evangelization of Peoples, Vatican City State

Tela azul adornada con heráldica del shogún Tokugawa
Siglos 17-19
Japón (1603-1868), colección del Cardenal Marella
Seda, oro
Congregación para la Evangelización de los Pueblos, Ciudad Estado del Vaticano

Figure 148
Symbolic representations of the phoenix with pine and bamboo
China, Cardinal Marella collection
Gold, silk
30 x 27 x 1 cm
11 7/8 x 10 5/8 x 1/2 inches
Congregation for the Evangelization of Peoples, Vatican City State

Representación simbólica del Fénix con pino y bambú
China, colección del Cardenal Marella
Seda, oro
Congregación para la Evangelización de los Pueblos, Ciudad Estado del Vaticano

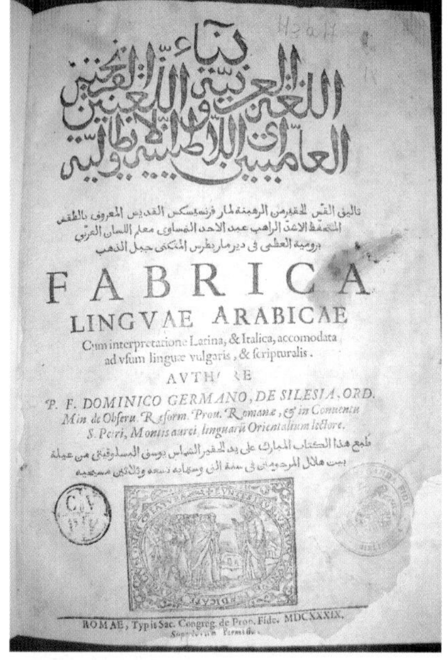

FABRICA
LINGVAE ARABICAE
Cum interpretatione Latina, & Italica, accomodata ad vſum linguæ vulgaris, & ſcripturalis.
AVTHORE
P. F. DOMINICO GERMANO, DE SILESIA, ORD. Min. de Obſeru. Reform. Prou. Romanæ, & in Conuentu S. Petri, Montis aurei, linguarũ Orientalium lectore.

ROMAE, Typis Sac. Congreg. de Prop. Fide. MDCXXXIX.
Superiorum Permiſſu.

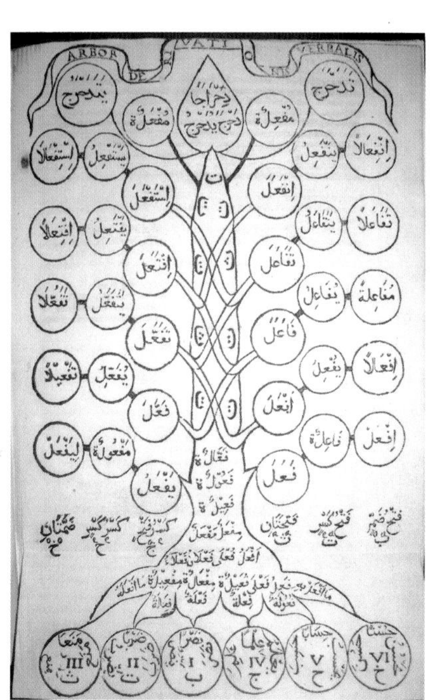

Figure 153
Fabrica linguae arabicae : cum interpretatione latina, & italica ... (Structure of the Arabic language with translations in Latin, Italian....)
1639
Domenico Germano de Silesia, O.F.M.
Paper
31 x 22 x 8 cm
12 1/4 x 8 5/8 x 3 1/8 inches
Congregation for the Evangelization of Peoples, Vatican City State

Fabrica linguae arabicae : cum interpretatione latina, & italica... (Estructura del idioma árabe con traducciones en Latín e Italiano)
1639
Domenico Germano de Silesia, O.F.M.
Papel
Congregación para la Evangelización de los Pueblos, Ciudad Estado del Vaticano

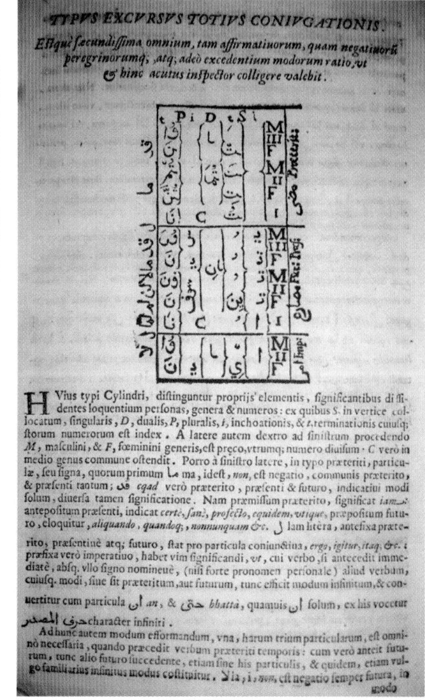

TYPVS EXCVRSVS TOTIVS CONIVGATIONIS.

Eſtquè ſecundiſſima omnium, tam affirmatiuorum, quam negatiuorũ peregrinorumq; ,atq; adeò excedentium modorum ratio, vt & hinc acutus inſpector colligere valebit.

HVius typi Cylindri, diſtinguntur proprijs elementis, ſignificantibus diſſidentes loquentium perſonas, genera & numeros: ex quibus S. in vertice collocatum, ſingularis, *D*, dualis, *P*, pluralis, *i*, inchoationis, & *t*. terminationis cuiuſq; ſtorum numerorum eſt index. A latere autem dextro ad ſiniſtrum procedendo *M*, maſculini, & *F*, fœminini generis, eſt preco, vtrumq; numero diuiſum. C verò in medio genus commune oſtendit. Porro à ſiniſtro latere, in typo præteriti, particulæ, ſeu ſigna, quorum primum ما ma, ideſt, *non*, eſt negatio, communis præterito, & præſenti tantum; قد *eqad* verò præterito, præſenti & futuro, indicatiui modi ſolum, diuerſa tamen ſignificatione. Nam præmiſſum præterito, ſignificat *iam*: antepoſitum præſenti, indicat *certè, ſanè, profectò, equidem, vtique*, præpoſitum futuro, eloquitur, *aliquando, quandoq;, nonnunquam &c.* ل lam litèra, anteſixa præterito, præſentinè atq; futuro, ſtat pro particula coniunctiua, *ergo, igitur, itaq. &c.* præfixa verò imperatiuo, habet vim ſignificandi, *vt*, cui verbo, ſi antecedit immediatè, abſq. vllo ſigno nomineuè, (niſi forte pronomen perſonale) aliud verbum, cuiuſq. modi, ſiue ſit præteritum, aut futurum, tunc efficit modum infinitum, & conuertitur cum particula ان *an*, & حتى *hhattà*, quamuis ان ſolum, ex his vocetur حرف المصدر character infiniti.

Ad hunc autem modum efformandum, vna, harum trium particularum, eſt omninò neceſſaria, quando præcedit verbum præteriti temporis: cum verò anteit futurum, tunc alio futuro ſuccedente, etiam ſine his particulis, & quidem, etiam vulgo familiarius infinitus modus coſtituitur. لا la, i, *non*, eſt negatio ſemper futura, in

modo

Figure 128
Illustration Of A Funeral In Vietnam
1840
Fr. Giuseppe Maria de Morrone, Franciscan and apostolic missionary
Rice paper
62 x 126 cm
24 3/8 x 49 5/8 inches
Congregation for the Evangelization of Peoples, Vatican City State

Ilustración de un funeral en Vietnam
1840
Fr. Giuseppe Maria de Morrone, Franciscano y misionero apostólico
Papel de arroz
Congregación para la Evangelización de los Pueblos, Ciudad Estado del Vaticano

ALPHABETA VARIA TYPOGRAPHIÆ SACRÆ CONGREGATIONIS DE PROPAGANDA FIDE.

Figure 129
"Alphabeta Variae Typographiae Sacrae Congregationis Di Propaganda Fide"
List of languages in which the Polyglot Printing Press of Propaganda Fide was able to print its books
c. 1648
Paper
59 x 76 cm
23 1/4 x 30 inches
Congregation for the Evangelization of Peoples, Vatican City State

"Alphabeta Variae Typographiae Sacrae Congregationis Di Propaganda Fide"
Lista de idiomas en los que podía imprimir sus libros la Prensa de la Impresora Políglota
Aprox. 1648
Papel
Congregación para la Evangelización de los Pueblos, Ciudad Estado del Vaticano

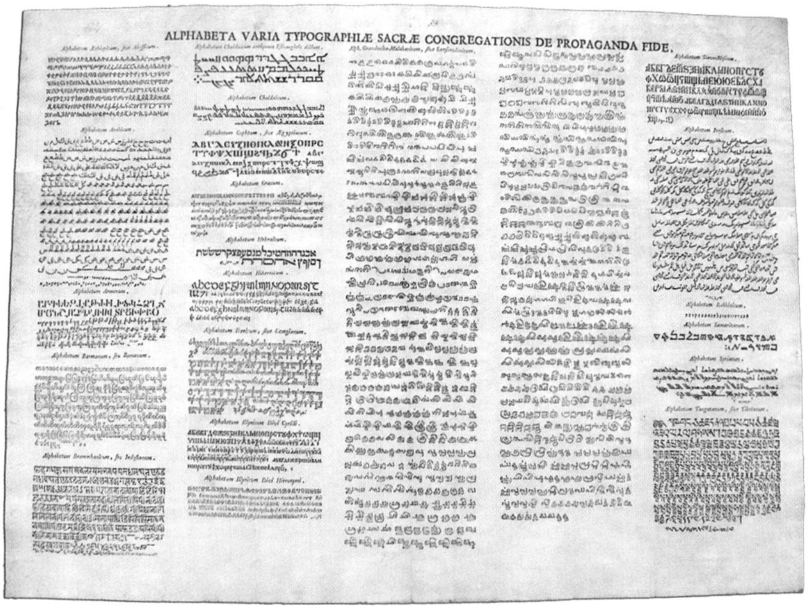

Figure 133
Missal Stand
Missal Stand (Lectern)
(Portamessale)
Late 15th - early 16th century, Cuba
Wood, fish spine, tortoise shell
31 x 37 x 8 cm
12 1/4 x 14 1/2 x 3 1/8 inches
Vatican Museums, Vatican City State

Atril para el misal
(Portamessale)
Finales del siglo 15 – principios del siglo 16, Cuba
Madera, espina de pez, caparazón de tortuga
Museos Vaticanos, Ciudad Estado del Vaticano

Figure 131
Thanka
1978
Multicolor silk, pearls, coral
165 x 111 cm
65 x 43 3/4 inches
Vatican Museums, Vatican City State

Thanka/Arte Tibetano
1978
Seda multicolor, perlas, coral
Museos Vaticanos, Ciudad Estado del Vaticano

Figure 134
Statue of the Plumed Snake God
15th century
Mexico
Stone
53 x 24 x 25 cm
20 7/8 x 9 1/2 x 9 7/8 inches
Vatican Museums, Vatican City State

Estatua del dios de la serpiente emplumada
Siglo 15
México
Piedra
Museos Vaticanos, Ciudad Estado del Vaticano

Figure 135
Madonna Beku
Late 19th century
Guénu, Salomon Islands
Wood
166 x 46 x 42.5 cm
63 5/8 x 15 3/4 x 14 1/8 inches
Vatican Museums, Vatican City State

Virgen Beku
Finales del siglo 19
Guénu, Salomon Islands
Madera
Museos Vaticanos, Ciudad Estado del Vaticano

Figure 136
Christ, the tree of life
Malawi (Africa)
James Chimkon Denji (contemporary)
Wood
174 x 85 x 45 cm
68 1/2 x 33 1/2 x 17 1/2 inches
Vatican Museums, Vatican City State

Cristo, el árbol de la vida
Malawi (África)
James Chimkon Denji (contemporáneo)
Madera
Museos Vaticanos, Ciudad Estado del Vaticano

Stories of Popes

Historias de los Papas

Stories of Popes

The Church considers Peter the first pope. With the election of Benedict XVI in 2005, 265 men have served as pope in the 20 centuries since Peter. This section of the exhibition tells the stories of a few, culminating with the pontiffs of the last century and the two popes who have ushered the Church into this, the Third Millennium, John Paul II and Benedict XVI.

Our modern world has experienced some of the most dramatic events of history: the Industrial Revolution and a move from rural to an industrialized society in the nineteenth century; two world wars during the first half of the twentieth century; ongoing conflicts that invested the last half of the twentieth century with sorrow, uncertainty, and tension; and a series of social and political tumults that have re-drawn the map of the world and changed the way people live. We now live in a world that has become a "global village" due to new communications technology.

The popes have not been passive spectators to these revolutionary changes. They called councils in the middle years of each of the nineteenth and twentieth centuries – Vatican Councils I and II – the aims of which were to reflect upon emerging problems, evaluate them, and find answers. With their different personalities and approaches, the Popes have sought to create a more responsible relationship between the Church and the world.

For almost two thousand years, the unique institution of the papacy has endured. It has borne witness to, and helped shape, the events of our history and the content of our culture.

Included in this last section of the exhibition are the tiara of Pope Pius VII, a gift from Napoleon that features one of the largest emeralds in the world; the pastoral staff of John Paul II; the Fisherman's Ring of Benedict XVI; and a bronze cast of the hand of John Paul II.

Historias de los Papas

La iglesia considera a Pedro como el primer Papa. Con la elección de Benedicto XVI en 2005, 265 hombres han servido como Papas en los 20 siglos que han pasado desde Pedro. Esta sección de la exhibición cuenta las historias de algunos de ellos, culminando con los pontífices del siglo pasado, y con los dos Papas que han guiado a la iglesia a este, el tercer milenio: Juan Pablo II y Benedicto XVI.

Nuestro mundo moderno ha experimentado algunos de los eventos más dramáticos de la historia: la Revolución Industrial y el paso de una sociedad rural a una industrial en el siglo 19; dos guerras mundiales en la primera mitad del siglo 20; conflictos permanentes que han llenado la primera mitad del siglo 20 con amargura, incertidumbre y tensión; y una serie de conmociones sociales y políticas que han re – dibujado el mapa del mundo y cambiado las vidas de muchas personas. Ahora vivimos en un mundo que se ha transformado en una "aldea global", gracias a las nuevas tecnologías en comunicaciones.

Los Papas no han sido espectadores pasivos de estos cambios revolucionarios. Reunieron concilios a mediados de los siglos 19 y 20 – los concilios Vaticano I y II – cuya meta fue reflexionar acerca de los crecientes problemas, evaluarlos y encontrar respuestas. Con sus diferentes personalidades y aproximaciones, los Papas han buscado crear una relación más responsable entre la iglesia y el mundo.

Por casi dos mil años ha durado la institución incomparable del papado. Ha dado testimonio de los eventos de nuestra historia y ha ayudado a dar forma al contenido de nuestra cultura.

Incluidos en esta sección de la exhibición se encuentran la tiara del Papa Pío VII, un regalo de Napoleón que tiene una de las esmeraldas más grandes del mundo, el báculo pastoral de Juan Pablo II, el Anillo del Pescador de Benedicto XVI y el molde de bronce de la mano de Juan Pablo II.

Figure 174
Model of the Arnolfo di Cambio statue, representing Saint Peter on his throne
Statue: bronze
Throne: marble
50 cm high
19 5/8 inches high
Congregation for the Evangelization of Peoples, Vatican City State

Modelo de la estatua de Arnolfo di Cambio representando a San Pedro en su trono
Estatua: Bronce
Trono: mármol
Congregación para la Evangelización de los Pueblos, Ciudad Estado del Vaticano

Figure 156
Bust of Pope Innocent XI (1676-1689)
17th century
Attributed to Domenico Guidi [1628-1701]
Carrara marble
107 x 76 x 35 cm
42 x 30 x 13 3/4 inches
Congregation for the Evangelization of Peoples, Vatican City State

Busto del Papa Inocencio XI (1676-1689)
Atribuido a Domenico Guidi [1628-1701]
Siglo 17
Mármol de Carrara
Congregación para la Evangelización de los Pueblos, Ciudad Estado del Vaticano

Figure 157
Bust of Pope Alexander VIII (1689-1691)
Attributed to Domenico Guidi (1628-1701)
Marble
107 x 76 x 35 cm
42 x 30 13 3/4 inches
Congregation for the Evangelization of Peoples, Vatican City State

Busto del Papa Alejandro VIII (1689-1691)
Atribuido a Domenico Guidi [1628-1701]
Mármol
Congregación para la Evangelización de los Pueblos, Ciudad Estado del Vaticano

Papal Tiara of Pope Pius VII

This tiara was a gift to Pope Pius VII from Napoleon at the beginning of 1805 to redress the damage caused by the Treaty of Tolentino (February 19, 1797), a pact the pope had been forced to sign when the Papal States were overrun by the French troops. The tiara disappeared during the subsequent unrest of 1831, and then, according to a contemporary chronicler, Gaetano Moroni, it was restored by Annibale Rota.

Mounted to a backing of beige velvet, the three crowns are studded with cabochon-cut tinted glass joined together with pseudo-filigree scrolls. Fixed to each of the crowns is a small plaque bearing an inscription. The bottom one reads "JUSTITIA ET PAX OCULATUS SUNT. SPAL. 84/11"; the middle one, "HINC SUNT DUAE OLIVA E DUA CANDELABRA IN COSPECTU DOMINI APOC 11/4..."; and the top:, "SPIRITUS SANCTUS POSUIT REGERE ECCLESIAM DEI. ACT. APO. 20/18." This piece is crowned with a jeweled cross that rises out of a milled emerald of impressive size known as the "Emerald of Gregory XIII." This remarkable stone was set into the tiara of Pope Julius II at the request of Gregory XIII in about 1580, with an inscription on the molding: "GREGORIUS XIII PONT. OP. MAX." Pope Pius VI likewise had the jewel remounted on one of his tiaras. Subsequent to the Treaty of Tolentino the stone was placed in the Musée d'Histoire Naturelle in Paris. After the seizure of the tiara, Napoleon ordered the famous emerald to be reused. Originally, the tiara was adorned with 2,990 fine pearls, and 3,345 stones including 2,450 cut-diamonds, 335

Figure 158
Papal Tiara of Pope Pius VII (1800-1823)
1802
Henry August and Nitot
Cask: Wood, velvet, silk
Crown: Gold and precious stones
Top: Emerald, gold
44 x 26 x 26 cm
17 3/8 x 10 1/4 x 10 1/4 inches
Office of the Liturgical Celebrations of the Supreme Pontiff, Vatican City State

Tiara papal de Pío VII (1800-1823)
1802
Henry August y Nitot
Barril: Madera, terciopelo, seda
Corona: Oro y piedras preciosas
Parte superior: Esmeralda, oro
Oficio de Celebraciones Litúrgicas del Sumo Pontífice, Ciudad Estado del Vaticano

Tiara papal de Pío VII

Esta tiara fue un obsequio de Napoleón al Papa Pío VII (1800 – 1823), a principios de 1805, en compensación al daño causado por el Tratado de Tolentino (19 de Febrero de 1797), pacto que el papa había sido obligado a firmar cuando los Estados Papales fueron invadidos por las tropas francesas. La tiara desapareció durante los disturbios posteriores a 1831, y luego, según el cronista contemporáneo, Gaetano Moroni, fue restaurada por Annibale Rora.

Instaladas sobre un soporte de terciopelo beige, las tres coronas están incrustadas con cristales coloreados, pulidos como piedras preciosas ––no talladas, o cabujón- y unidas con tiras de seudofiligrana. Cada una de las coronas tiene una pequeña placa con inscripción: "JUSTITIA ET PAX OCULATUS SUNT.SPAL. 84/11", la del medio dice: "HINC SUNT DUAE OLIVA E DUA CANDELABRA IN COSPECTU DOMINI APOC 11/14..."; y la de arriba: "SPIRITUS SANCTUS POSUIT REGERE ECCLESIAM DEI.ACT.APO. 20/18". La pieza está rematada con una cruz enjoyada que emerge de una esmeralda tallada de tamaño impresionante conocida como la "Esmeralda de Gregorio XIII". Esta notable gema fue montada en la tiara del Papa Julio II (1503-1513) a solicitud de Gregorio VIII (1572-1585), alrededor de 1580, con esta inscripción en la moldura: "GREGORIUS XIII PONT.OP.MAX". De igual manera, el Papa Pío VI (1775-1799) mandó a remontar la joya en una de sus tiaras. Después del Tratado de Tolentino la piedra fue colocada en el Musée d'Histoire Naturelle en París y luego de la confiscación de la

natural diamonds, and 1,228 fine pearls, 108 rubies, and fifty-four emeralds. The central crown was embellished with over fifty emeralds surrounded by cut diamonds. The other two crowns were adorned with fifty rubies also set in brilliants.

Three engraved bas-reliefs adorn the crowns. The lower crown shows the restoration of public worship in France with the words: *Auspice Primo Cos. Bonaparte/Sacer Cultus Solcnniter Restit./Parissis in Basi. BcataeVirginis/Die Paschali 1802. (Sacred Worship was solemnly restored to the Basilica of the Blessed Virgin In Paris on Easter, Day, 1802 under the auspices of Bonaparte, The First Consul).* On the middle crown was represented the signing of the Concordat between France and the Holy See with the inscription: *Pie VII Summi Pontif./Cum Bonaparte Reip. Gallic. Cos./ De Rebus Ecclesiac Composiendis Partic./ Parissus 14 julli 1801 (The Supreme Pontiff Pius VII with Bonaparte, the Consul of French Republic reorganize the affairs of the Church).* On the highest crown is pictured the imperial coronation at Notre Dame in Paris with the accompanying inscription: *Napoleo Gallorum Imperator/ Sacro Inunctus Oleo/ A Pio Summi Pontif./Die 2 Dicember 1804. (Napoleon is anointed Emperor of the French with Holy Oil by the Supreme Pontiff, Pius VII on December 2, 1804).* RV

tiara, Napoleón ordenó que la famosa esmeralda fuese usada de nuevo. Originalmente la tiara estaba adornada con 2.990 perlas finas y 3.345 piedras, incluyendo 2.450 diamantes tallados, 335 diamantes naturales y 1.228 perlas finas, 108 rubíes y cincuenta y cuatro esmeraldas. La corona central estaba adornada con más de cincuenta esmeraldas rodeadas por diamantes tallados. Las otras dos coronas estaban adornadas con cincuenta rubíes también montados sobre brillantes.

Tres bajorrelieves grabados adornan a las coronas. La corona inferior muestra la restauración del culto público en Francia con las palabras: *Auspice Primo Cos. Bonaparte/Sacer Cultus Solenniter Restit./Parissis in Basi. BcataeVirginis/ Die Paschali 1802. El culto sagrado fue solemnemente restituido a la Basílica de la Santísima Virgen en París el Domingo de Pascua de 1802 bajo los auspicios de Bonaparte, Primer Cónsul.* En la corona central aparece la firma del Concordato entre Francia y la Santa Sede con la inscripción: *Pie XII Summi Pontif./ Cum Bonaparte Rep.Gallic. Cos/ De Rebus Ecclesiac Composiendis Partic./ Parissus 14 Julli 1801. El Supremo Pontífice Pío VII con Bonaparte, Cónsul de la República Francesa reorganizan los asuntos de la Iglesia.* En la corona superior aparece la coronación imperial en Notre Dame en París, acompañada de la inscripción: *Napoleo Gallorum Imperator/ Sacro Inunctus Oleo/ A Pío Summi Pontif./ Die 2 Dicember 1804.* Napoleón es ungido Emperador de Francia con aceite sagrado por el Supremo Pontífice, Pío VII el 2 de Diciembre 1804. RV

Figure 103
Ring of Pope Pius VI (1775-1799)
1775
Gold, brilliant cut diamonds, blue glass
3.2 x 3 x 2.6 cm
1 1/4 x 1 1/8 x 1 inches
Office of the Liturgical Celebrations of the Supreme Pontiff, Vatican City State

Anillo del Papa Pío VI (1775-1799)
1775
Oro, corte brillante de diamantes, cristal azul
Oficio de Celebraciones Litúrgicas del Sumo Pontífice, Ciudad Estado del Vaticano

Figure 185
Bust of Pope Pius VII (1800-1823)
c. 1820
Antonio Canova [1757-1822]
Marble
88 x 62 cm
34 5/8 x 24 1/2 inches
Vatican Museums, Vatican City State

Busto del Papa Pío VII (1800-1823)
Aprox. 1820
Antonio Canova [1757-1822]
Mármol
Museos Vaticanos, Ciudad Estado del Vaticano

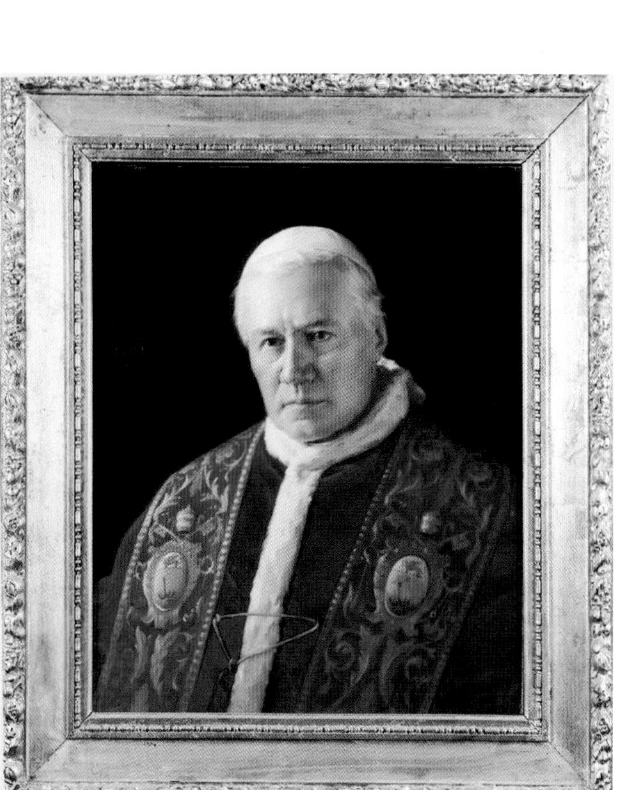

Figure 159
Portrait of Saint Pius X (1903-1914)
20th Cent. (1st two decades)
Anonymous
Oil on canvas
81 x 69 cm
31 7/8 x 27 1/8 inches
Congregation for the Evangelization of Peoples, Vatican City State

Retrato de San Pío X (1903-1914)
Siglo 20 (primeras dos décadas)
Anónimo
Óleo sobre lienzo
Congregación para la Evangelización de los Pueblos, Ciudad Estado del Vaticano

Figure 175
Portrait of Pope Benedict XV (1914-1922)
A. Zoffoli
Oil on canvas
117 x 91 cm
46 x 35 7/8 inches
Office of the Liturgical Celebrations of the Supreme Pontiff, Vatican City State

Retrato del Papa Benedicto XV (1914-1922)
A. Zoffoli
Óleo sobre lienzo
Oficio de Celebraciones Litúrgicas del Sumo Pontífice, Ciudad Estado del Vaticano

Figure 160
Portrait of Pope Pius XI (1922-1939)
1925
Unknown artist of the Franciscan Missionary Order of Mary
Oil on canvas
133 x 106.5 cm
52 3/8 x 42 inches
Congregation for the Evangelization of Peoples, Vatican City State

Retrato del Papa Pío XI (1922-1939)
1925
Artista desconocido de la Misión Franciscana de la Orden de María
Óleo sobre lienzo
Congregación para la Evangelización de los Pueblos, Ciudad Estado del Vaticano

Figure 188
Statue of Pope Pius XII (1939-1958)
1963
Francesco Messina [1900-1995]
Bronze
76 x 30 x 34 cm
30 x 11 7/8 x 13 3/8 inches
Vatican Museums, Vatican City State

Estatua del Papa Pío XII (1939-1958)
1963
Francesco Messina [1900-1995]
Bronce
Museos Vaticanos, Ciudad Estado del Vaticano

Figure 189
Portrait of Pope John XXIII (1958-1963)
1962
Emilio Greco [1913-1995]
India ink on paper
70 x 50 cm
27 1/2 x 19 5/8 inches
Vatican Museums, Vatican City State

Retrato del Papa Juan XXIII (1958-1963)
1962
Emilio Greco [1913-1995]
Tinta india sobre papel
Museos Vaticanos, Ciudad Estado del Vaticano

Figure 161
Portrait of Pope Paul VI (1963-1978)
Alvaro Delgado (1922-, Madrid)
Oil on canvas
130 x 97 cm
51 1/8 x 38 1/8 inches
Vatican Museums, Vatican City State

Retrato del Papa Pablo VI (1963-1978)
Alvaro Delgado (1922-, Madrid)
Óleo sobre lienzo
Museos Vaticanos, Ciudad Estado del Vaticano

Figure 172
Bust of Pope John Paul II (1978-2005)
20th Century
Enrico Manfrini (born, 1917)
Bronze
40 x 29 cm
15 3/4 x 11 3/8 x 14 3/4 inches
Private Collection, Vatican City State

Busto del Papa Juan Pablo II (1978-2005)
Siglo 20
Enrico Manfrini (nacido en 1917)
Bronce
Coleccion privada, Ciudad Estado del Vaticano

Figure 162
Pastoral Staff of Pope John Paul II (1978-2005)
20th Century
Lello Scorzelli (1921-1997) and Manlio del Vecchio
Silver, aluminum
184 x 17 x 7.5 cm
72 1/2 x 6 3/4 x 3 inches
Office of the Liturgical Celebrations of the Supreme Pontiff, Vatican City State

Báculo pastoral del Papa Juan Pablo II (1978-2005)
Siglo 20
Lello Scorzelli (1921-1997) y Manlio del Vecchio
Plata, aluminio
Oficio de Celebraciones Litúrgicas del Sumo Pontífice, Ciudad Estado del Vaticano

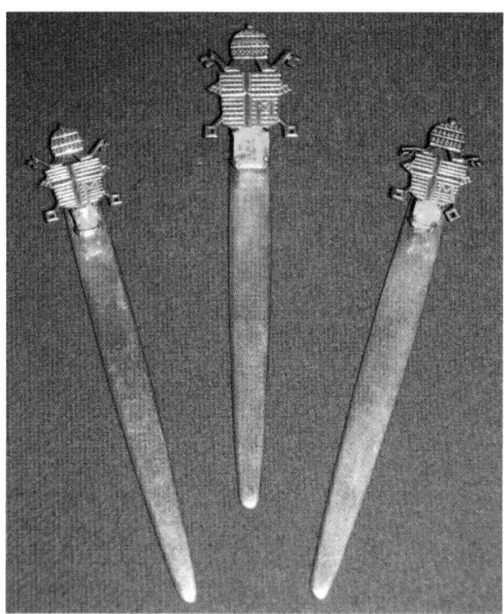

Figure 163
Fibulae for the Pallium of John Paul II (1978-2005)
1986
Medellin, Columbia
Gold, Emeralds
9.3 x 1.5 x 0.8 cm
3 5/8 x 1/2 x 3/8 inches
Office of the Liturgical Celebrations of the Supreme Pontiff, Vatican City State

Pendientes del manto de Juan Pablo II (1978-2005)
1986
Medellín, Colombia
Oro, esmeraldas
Oficio de Celebraciones Litúrgicas del Sumo Pontífice, Ciudad Estado del Vaticano

Figure 164
Miter of Pope John Paul II (1978-2005)
1998
X. Regio, Treviso, Italy
Silk, golden thread, smoked quartz
75 x 36 cm
29 1/2 x 14 1/8 inches
Office of the Liturgical Celebrations of the Supreme Pontiff, Vatican City State

Mitra del Papa Juan Pablo II
(1978-2005)
1998
X. Regio, Treviso, Italia
Seda, hilo dorado, cuarzo ahumado
Oficio de Celebraciones Litúrgicas del Sumo Pontífice, Ciudad Estado del Vaticano

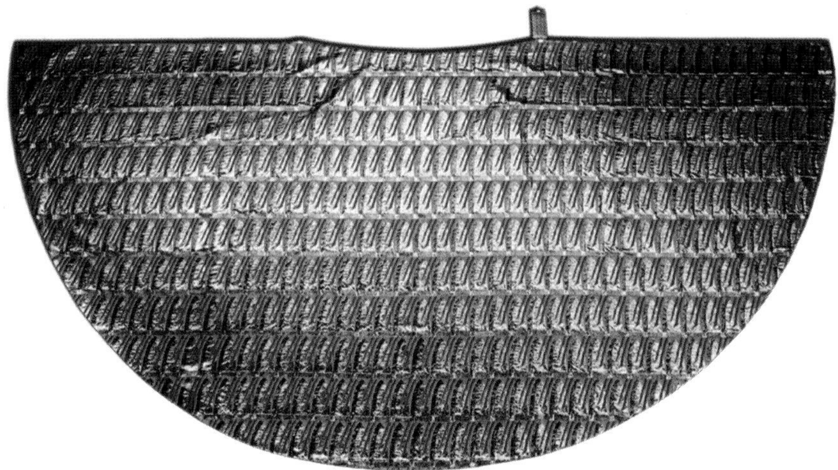

Figure 165
Cope of Pope John Paul II (1978-2005)
1999
Woven by Unione Industriali Pratese, Prato, Italy
Manufactured by Sartoria X Regio (Decima Regio), Treviso, Italy
Jacquard fabric made on electronic loom
Silk, lurex
166 x 345 cm
65 3/8 x 135 7/8 inches
Office of the Liturgical Celebrations of the Supreme Pontiff, Vatican City State

Capa del Papa Juan Pablo II (1978-2005)
1999
Tejido por Unione Industriali Pratese, Prato, Italia
Manufacturado por Sartoria X Regio (Decima Regio), Treviso, Italy
Tela Jacquard hecha en telar electrónico.
Seda, lurex (hilo metálico)
Oficio de Celebraciones Litúrgicas del Sumo Pontífice, Ciudad Estado del Vaticano

Figure 171
Stole of Pope John Paul II
Pre 20th Century
Moiré silk, polychrome silk, golden thread
135 x 30 cm
53 1/8 x 11 7/8 inches
Office of the Liturgical Celebrations of the Supreme Pontiff, Vatican City State

Estola del Papa Juan Pablo II
Antes del siglo 20
Seda Moiré, policromía en seda, hilo dorado
Oficio de Celebraciones Litúrgicas del Sumo Pontífice, Ciudad Estado del Vaticano

Figure 166
Cassock of Pope John Paul II
Late 20th Century
Wool, moiré silk, silk
145 x 72 cm
57 x 28 3/8 inches
Office of the Liturgical Celebrations of the Supreme Pontiff, Vatican City State

Sotana del Papa Juan Pablo II
Finales del siglo 20
Lana, seda moiré, seda
Oficio de Celebraciones Litúrgicas del Sumo Pontífice, Ciudad Estado del Vaticano

Figure 167
Sash of Pope John Paul II
Late 20th Century
Moiré silk, polychrome silk, golden thread
13.5 cm wide
5 3/8 inches wide
Office of the Liturgical Celebrations of the Supreme Pontiff, Vatican City State

Ceñidor o cinto del Papa Juan Pablo II
Finales del siglo 20
Seda Moiré, policromía en seda, hilo dorado
Oficio de Celebraciones Litúrgicas del Sumo Pontífice, Ciudad Estado del Vaticano

Figure 168
Embossed stamp of Pope John Paul II
1978
Gold-plated metal
7.4 x 7.4 x 0.8 cm
3 x 3 x 3/8 inches
Office of the Liturgical Celebrations of the Supreme Pontiff, Vatican City State

Sello grabado en relieve del Papa Juan Pablo II
1978
Metal oro-plateado
Oficio de Celebraciones Litúrgicas del Sumo Pontífice, Ciudad Estado del Vaticano

Figure 169
Seal known as "Fisherman's Ring" of Pope John Paul II (1978-2005)
1978
Gold-plated metal, wood
12 x 4 x 4 cm
4 3/4 x 1 1/2 x 1 1/2 inches
Office of the Liturgical Celebrations of the Supreme Pontiff, Vatican City State

Sello conocido como el "Anillo del Pescador" de Juan Pablo II
1978
Metal oro-plateado
Oficio de Celebraciones Litúrgicas del Sumo Pontífice, Ciudad Estado del Vaticano

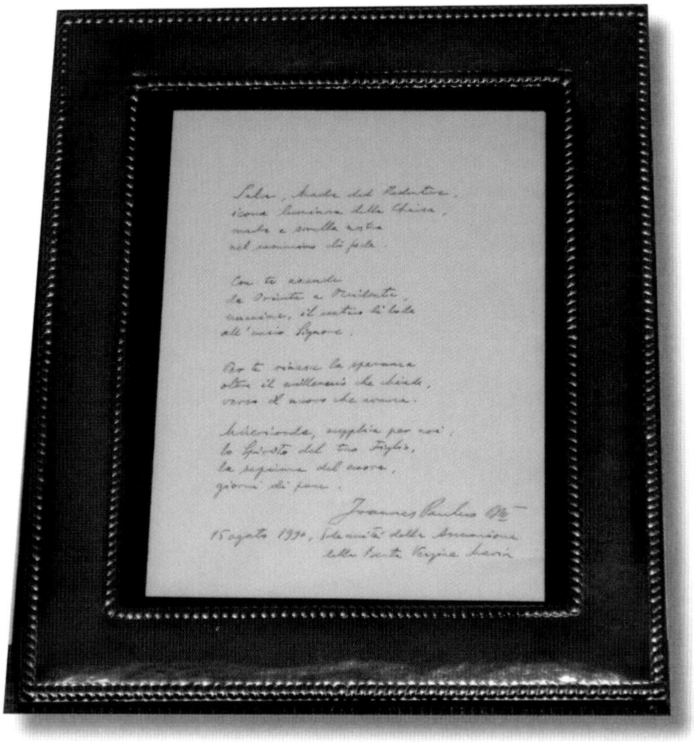

John Paul II was a poet, with many published works. In this poem to the Virgin Mary, he expresses his hope for peace.

Ave, Mother of the Redeemer,
shining icon of the Church,
our mother and sister
along the way of the faith.

With you the unanimous hymn of laud
addressed to the Lord
rises from the Orient and the Occident.

The hope revives by you
beyond the finishing millennium
toward the new one that is coming.

Merciful, implore for us:
the Spirit of your Son,
the sapience of the heart,
days of peace.

John Paul II
August 15, 1990
Solemnity of the Blessed Virgin Mary's Ascension

Juan Pablo II fue poeta y se le publicaron varios trabajos. En este poema a la virgen María expresa su esperanza en la paz.

Ave, Madre del redentor,
signo deslumbrante de la iglesia
nuestra madre y hermana
en el camino de la Fe.

Contigo el unánime himno de alabanza
dirigido al Sennor
se eleva desde el oriente y el occidente.

La esperanza renace en ti
más allá del milenio que termina
hacia el nuevo que está llegando.

Misericordiosa, ruega por nosotros:
el espíritu de tu hijo
la sapiencia del corazón,
días de paz.

Juan Pablo II
15 de agosto, 1990
Solemnidad de la Asunción de la Bendita Virgen María

Figure 170
Handwritten poetry of Pope John Paul II
1978
John Paul II
Paper
30 x 20 cm
11 3/8 x 7 5/8 inches
Office of the Liturgical Celebrations of the Supreme Pontiff, Vatican City State

Manuscrito con poesía de Juan Pablo II
1978
Juan Pablo II
Papel
Oficio de Celebraciones Litúrgicas del Sumo Pontífice, Ciudad Estado del Vaticano

Figure 190
Embrace between Pope John Paul II and Cardinal Wjszjnski
1980
Pedro Cano (1944-)
Oil on canvas
149.7 x 149.2 cm
59 x 58 3/4 inches
Vatican Museums, Vatican City State

Abrazo del Papa Juan Pablo II y el Cardenal Wyszynski
1980
Pedro Cano (1944-)
Óleo sobre lienzo
Museos Vaticanos, Ciudad Estado del Vaticano

Figure 180
Portrait of Pope Benedict XVI
2006
Giuliano Vangi
Oil on canvas
200 x 120 cm
78 3/4 x 47 1/4 inches
Office of the Liturgical Celebrations of the Supreme Pontiff, Vatican City State

Retrato del Papa Benedicto XVI
2006
Giuliano Vangi
Óleo sobre lienzo
Oficio de Celebraciones Litúrgicas del Sumo Pontífice, Ciudad Estado del Vaticano

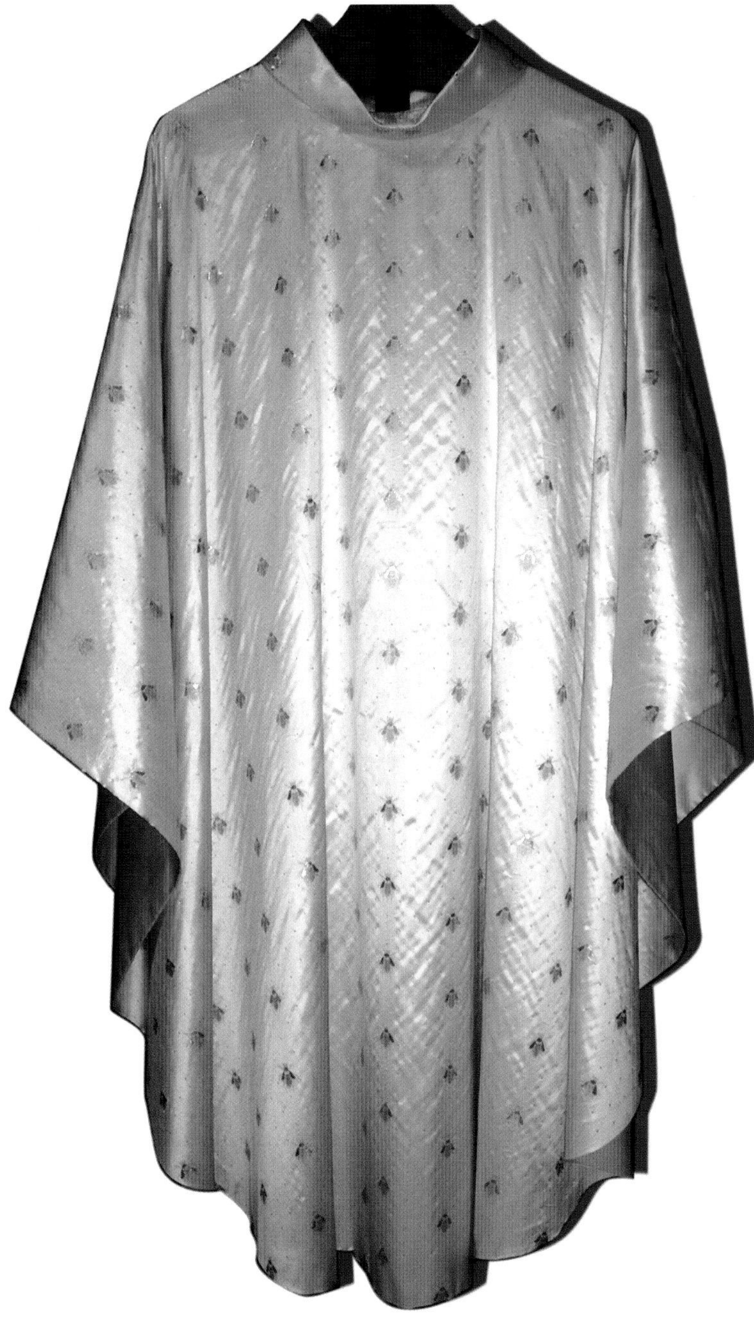

Figure 176
Chasuble of Pope Benedict XVI
2005
Maria Agar Loche (Apostolato Liturgico) (Italy)
Lurex silk, filocoupe Jacquard
150 cm
59 inches
Office of the Liturgical Celebrations of the Supreme Pontiff, Vatican City State

Casulla del Papa Benedicto XVI
2005
Maria Agar Loche (Apostolato Liturgico) (Italia)
Seda Lurex, tela –tejido– Jacquard
Oficio de Celebraciones Litúrgicas del Sumo Pontífice, Ciudad Estado del Vaticano

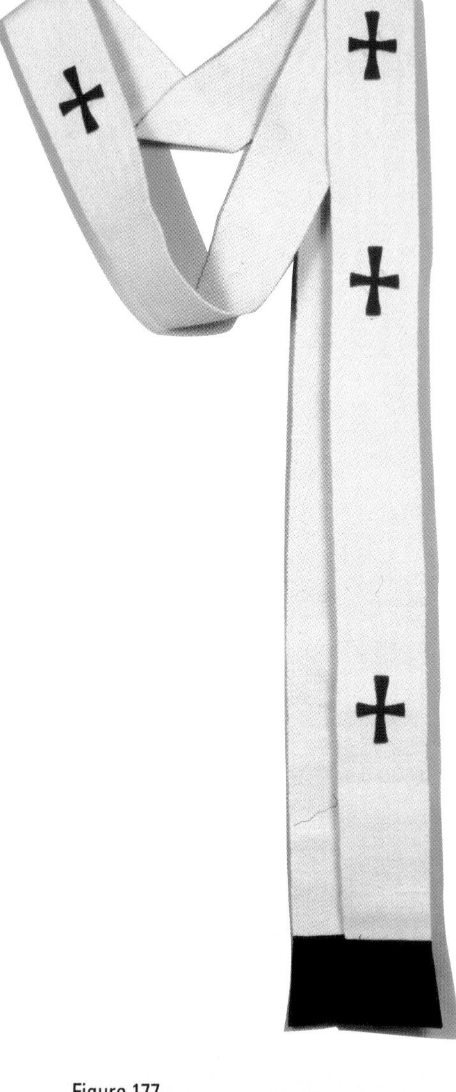

Figure 177
Pallium of Pope Benedict XVI
2005
Benedictine Nuns of the Monastery of Saint Cecilia, Rome
Wool
118 x 46 cm
46 1/2x 18 1/8 inches
Office of the Liturgical Celebrations of the Supreme Pontiff, Vatican City State

Manto del papa Benedicto XVI
2005
Monjas benedictinas del Monasterio de Santa Cecilia en Roma
Lana
Oficio de Celebraciones Litúrgicas del Sumo Pontífice, Ciudad Estado del Vaticano

Figure 178
Miter of Pope Benedict XVI
2007
Golden thread, silk
90 x 35.5 cm
35 1/2 x 14 inches
Office of the Liturgical Celebrations of the Supreme Pontiff, Vatican City State

Mitra del Papa Benedicto XVI
2007
Hilo dorado, seda
Oficio de Celebraciones Litúrgicas del Sumo Pontífice, Ciudad Estado del Vaticano

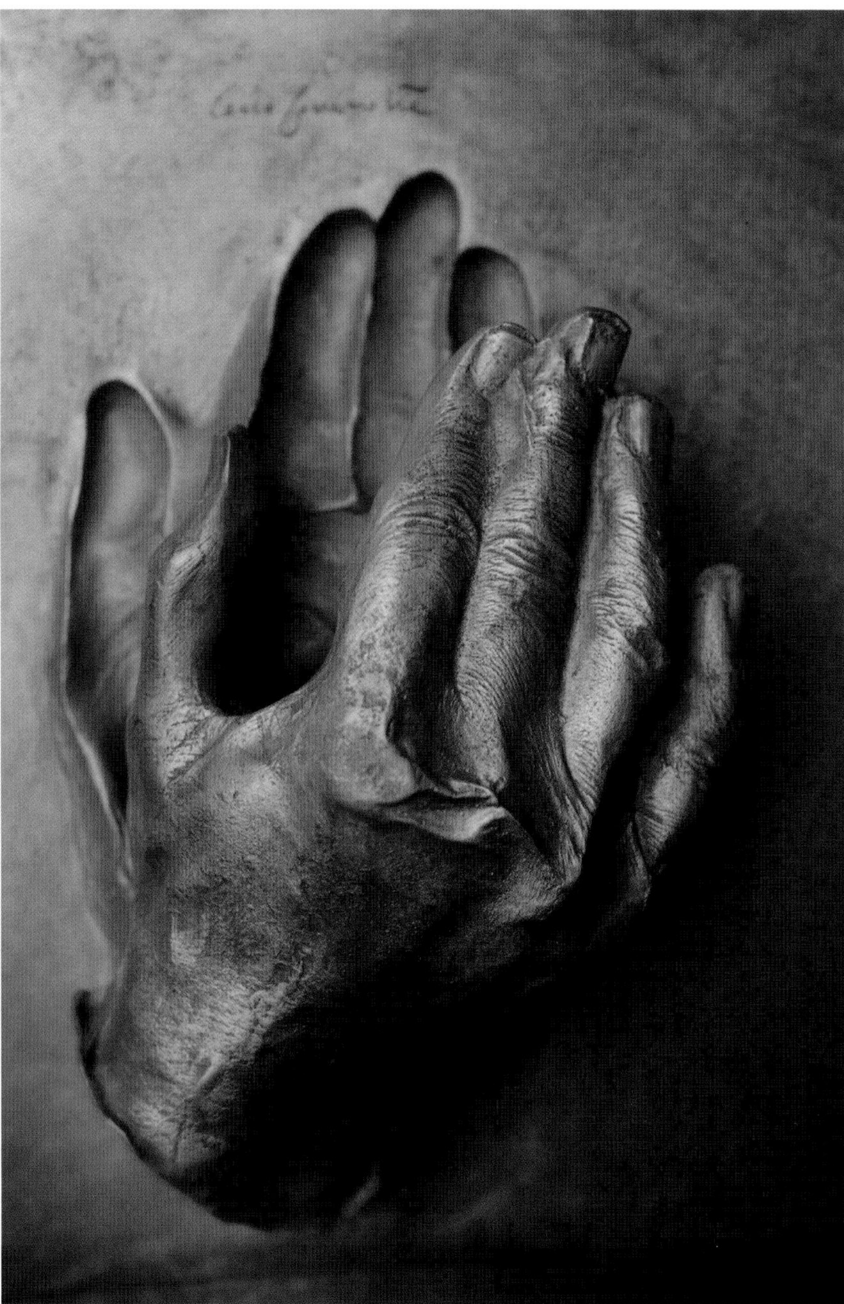

Figure 173
Cast of the Hand of Pope John Paul II (1978-2005)
October, 2002
Cecco Bonanotte (born, 1942, Italy)
Bronze
100 x 100 x 10 cm
39 3/8 x 39 3/8 x 4 inches
Office of the Liturgical Celebrations of the Supreme Pontiff, Vatican City State

Molde de la mano de Juan Pablo II (1978-2005)
Octubre, 2002
Cecco Bonanotte (nacido en 1942, Italia)
Bronce
Oficio de Celebraciones Litúrgicas del Sumo Pontífice, Ciudad Estado del Vaticano

Fisherman's Ring made for Pope Benedict XVI

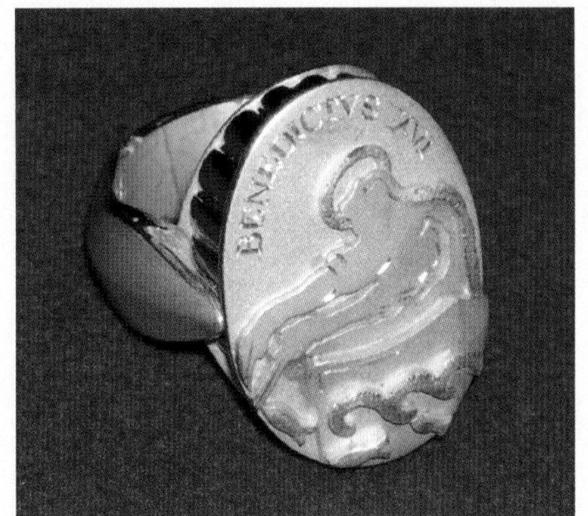

In former times, Fishermen's Rings such as this were used as seals on official documents signed by popes. They featured the figure of Peter busy fishing with his nets. Since 1842 the seal ring has been replaced by a separate seal, which still bears the figure of Peter the fisherman.

The idea of Peter as a fisherman is not only connected with the Apostle's profession before being called to follow Jesus, but also to the words Jesus spoke to him: "You will be a fisher of men" (Matthew 4, 19). Hence the name, "Fishermen's Ring."

The then Master of the Pontifical Liturgical Celebrations, Monsignor Piero Marini, commissioned the Fisherman's Ring which the pope would wear on the day he was officially installed, April 24, 2005. Two rings were made, one classical in shape and the other, the one on display here, in a modern style. When he tried on the rings, Pope Benedict XVI preferred the more classical style, leaving this one in the Pontifical Sacristy for use on other occasions – but only by the pope himself.

The ring has an oval setting with white gold pods around the edge meant by the artist to recall Bernini's colonnade around Saint Peter's Square, while the inner lining is in fretwork, alluding to the geometric design of the square. Saint Peter is represented on a boat, bending to draw in his nets. Below him are the sea and three fish (the number referring to the Holy Trinity). The name Benedict XVI is inscribed at the top. The band is formed of two stylized fish that start from the sides and interlock symmetrically below, their fins forming a Greek cross. On the inside of the band, the maker's name is inscribed: Claudio Franchi, a silversmith skilled in weaving ancient art and modern sensibilities into a harmonious whole.

Anillo del Pescador hecho para el Papa Benedicto XVI

En tiempos pasados, anillos como éste eran también sello para documentos oficiales firmados por los Papas y muestran la figura de Pedro pescando con sus redes. Desde 1842 el anillo-sello ha sido separado para un sello aparte que aún tiene a la figura de Pedro el pescador.

La idea de Pedro como pescador no está sólo conectada con la profesión del apóstol antes de ser llamado a seguir a Jesús, sino también a las palabras que Jesús le dijo "Serás un pescador de hombres" (Mateo 4,19), de ahí el nombre de "Anillo del Pescador".

El entonces maestro de las Celebraciones Litúrgicas Pontificias, Monseñor Piero Marini encargó el Anillo del Pescador que el Papa usó el día de su posesión oficial, el 25 de abril de 2005. Se hicieron dos anillos: uno en forma clásica y otro, exhibido aquí, en estilo moderno. Cuando se probó los anillos, el Papa Benedicto XVI prefirió el estilo clásico y dejó este en la sacristía para ser usado en otras ocasiones, pero sólo por el Papa.

El anillo tiene un trasfondo ovalado con cápsula de oro blanco alrededor del borde, creado por el artista para recordar los diseños de Bernini para la fachada (colonnade) de la Plaza de San Pedro, mientras el recubrimiento interior es un calado que hace referencia al diseño geométrico de la plaza. San Pedro está representado en un bote, agachado para recoger sus redes. En la parte inferior puede verse el mar y tres peces (el número hace alusión a la Santísima Trinidad). El nombre Benedicto XVI está grabado en la parte superior. La franja se forma por dos peces estilizados que empiezan desde los lados y se entrelazan simétricamente en la parte inferior, formando una cruz griega con sus aletas. En la parte interior está grabado el nombre del diseñador: Claudio Franchi, un hábil orfebre que logra encontrar la armonía entre el arte antiguo y las sensibilidades modernas.

Figure 179
Fisherman's Ring made for Pope Benedict XVI
2007
Claudio Franchi (Rome)
Gold
3 x 2.7 x 2.9 cm
1 1/8 x 1 x 1 1/8 inches
Office of the Liturgical Celebrations of the Supreme Pontiff, Vatican City State

Anillo del Pescador hecho parta el Papa Benedicto XVI
2007
Claudio Franchi (Roma)
Oro
Oficio de Celebraciones Litúrgicas del Sumo Pontífice, Ciudad Estado del Vaticano

Glossary

Altar (Lat., ara) A table or structure where sacrifice is offered. In Christian worship the altar is generally found at the center of the sanctuary where the sacrificial act of the mass is celebrated. The altar is the symbol of Christ, the cornerstone upon which the Church is founded, and as such is venerated with a kiss and incense. In ancient basilicas there was only one altar, but over the centuries a proliferation of private masses and side chapels led to numerous altars in monasteries and churches.

Apostolic Constitution A formal papal document used by the pope to promulgate law.

Apostolic See This term refers not only to the Roman pontiff, but also the secretary of state, the council for public affairs of the church, and other institutions of the Roman curia.

Apostolic succession Through the laying on of hands during the rite of episcopal ordination, the College of Bishops continues from Saint Peter to the present.

Apse A semicircular or semipolygonal section at the rear of a church in which the nave and sometimes also the aisles terminate.

Atrium In its earliest meaning, the atrium referred to the vestibule or entry of a Roman or Greek house. Today it refers to the first or principal entry, internal or external, of a building, usually decorated or flanked by columns. The atrium in Saint Peter's, for example, is the broad, open area between the façade – the main front or face of the building – and the actual entrance.

Baldachin (also baldachino, baldacchino, baldaquin) Technically, a canopy of fabric over an altar or throne. A canopy resting directly on four columns made of wood, stone, marble, or metal is more properly termed a ciborium. Liturgically, the baldachin symbolizes the tent that covers, protects, and embellishes, and is a direct reference to John's Gospel, which refers to the Word made flesh and his "tent" dwelling among us (Jn 1:14).

Baptistery A Christian building on a central plan devised for celebrating the rite of baptism, originally built alongside the Early Christian and Romanesque basilicas; later, the baptismal font was included within the church itself.

Basilica Originally a term for a ceremonial or judicial hall. Emperor Constantine used the basilica prototype in the fourth century for church buildings. A basilica always had a forecourt, with trees and a fountain, and a colonnade, or loggia, enclosing it. The great hall was attached to the loggia. There are two types: the major basilicas in Rome, including Saint Peter's in the Vatican, Saint Paul's Outside-the-Walls, Saint John Lateran, Saint Mary Major, Saint Lawrence Outside-the-Walls, and Saint Sebastian, as well as the Basilica of the Holy Cross in Jerusalem; and the minor basilicas, which are other important churches found in Rome and throughout the world.

Bas-relief (also bossorelievo, bassorilievo) A carving, embossing, or casting moderately protruded from the background plane.

Bells The use of bells in the church can be traced to the eighth century. Bells have often been called the vox Dei, or voice of God, because they call the faithful to worship.

Biretta A square cap with three ridges or peaks. The biretta is often distinguished by color red for a cardinal, violet for a bishop, and black for a cleric.

Bishop (Gr., episkopos) A priest who enjoys the "fullness of the sacrament of holy orders" by his consecration to the episcopate. The bishop's function is to teach, lead, and sanctify. Diocesan bishops are the overseers of their territory in liturgical, theological, canonical, and administrative matters. Through ordination bishops become a member of the College of Bishops, the head of which is the bishop of Rome, the pope.

Bull From the Latin bulla, meaning seal. Bulls, or bullas, refer to the lead or wax seal that was formerly affixed to important church documents. By extension, this has come to mean the papal or apostolic document. A Bullarium is a collection of papal bulls.

Burse A receptacle, often ornately decorated, for the corporal and paten when they are not in use prior to the mass. In the sixteenth century it took the form of a square with one open side or pocket.

Canons A body of diocesan priests responsible for the spiritual and temporal concerns of a local cathedral.

Canons continue in major basilicas throughout Rome and gather daily for the celebration of the Liturgy of the Hours.

Cardinal Following that of pope, the title of cardinal is the highest dignity in the Roman Catholic Church and was recognized as early as the pontificate of Sylvester I in the fourth century. Rooted in the Latin word cardo, meaning "hinge," cardinals are created by a decree of the Roman pontiff and are chosen to serve as his principal collaborators and assistants. Cardinal is an honorific title and not one of the three ordained orders (deacon, priest, and bishops). Only bishops are named as cardinals.

Cathedra From the Latin cathedra, meaning "chair," this refers to both the seat of the bishop who governs the diocese, and thus symbolizes his teaching authority, and to the church in which the bishop celebrates the principal liturgical ceremonies in his diocese.

Cathedral A church that serves as the seat of the local bishop, wherein his teaching authority exists.

Chirograph A formal message in the pope's own handwriting.

Ciborium A canopy of stone, wood, or marble supported on four columns over an altar, or the chalicelike vessel or bowl that contains the Host used in the liturgical celebration of mass.

College of Cardinals The cardinals of the Holy Roman Church collectively constitute the college of electors and chief assistants of the pope. The pope appoints bishops (with occasional exceptions) to the college, most of whom are the heads of their own dioceses and archdioceses. The college of cardinals meets with the pope at ordinary and extraordinary consistories to provide consultation. According to current practice, after the pope's death all cardinals under the age of eighty gather to elect a new pope. In the eleventh century the practice began of appointing cardinals from ministries outside of Rome. In 1059 Pope Nicholas II designated the cardinals as the representative body of the Roman Church in the election of a pope. The practice continues today.

Conclave The meeting of all cardinals who are eligible to vote for a new pope. The word is derived from the Latin con (with) and clavis (key), and refers to the fact that the meeting of cardinal electors takes place behind locked doors.

Consistory Assembly of the college of cardinals.

Cope A ceremonial version of an outdoor cloak commonly worn in the Roman Empire. It is a semicircular cloth worn over the shoulders and held together with a clasp. The cope and clasp (morse) are often decorated and generally worn by officiating prelates or clerics at noneucharistic celebrations such as baptisms, weddings, or the Liturgy of the Hours.

Crypt A chamber usually below the main floor of a church housing the relics of the titular saint, or the tombs of bishops and other illustrious persons.

Dogma A definitive, or infallible, teaching of the church. The promulgation of a dogma is the prerogative of an ecumenical council, including the pope, or of the pope acting as earthly head of the Church, apart from a council.

Dogma of the Immaculate Conception Dogma officially promulgated by Pope Pius IX in 1854 that states the Blessed Virgin Mary was free from original sin from the first instant of her existence. This teaching is commemorated on December 8, the liturgical feast day.

Episcopal College The body of bishops, headed by the pope, who are successors of the apostles in teaching and pastoral jurisdiction in the church. Membership is through sacred ordination to the episcopate. The college exercises supreme authority in the church when it acts in an ecumenical council or by collegial action by the bishops in union with the pope.

Fabbrica of Saint Peter (la Fabbrica di San Pietro) The Vatican commission that oversees the maintenance of the Basilica of Saint Peter.

First Vatican Council The ecumenical council that met from December 1869 to October 1870 in Saint Peter's Basilica. It was called by Pope Saint Pius IX and it approved

two dogmatic constitutions: Dei Filius, regarding the relationship of faith and reason, and Postor Aeternus, on the papacy's juridical primacy and on the infallibility of the pope.

Fisherman's Ring The papal ring having a setting cut to serve as an official seal. Its image shows the apostle Peter standing in a boat casting a net.

Fresco A wall painting executed in a technique by which the pigments are applied to the surface of the fresh plaster (intonaco) while it is still moist.

Holy Door A walled-up door, actually a double door, found in each of the four major Roman basilicas to be visited by pilgrims during a holy year. The cemented or walled-up portion is on the inside of the church, and it is this part that is dismantled to allow the outer door to be opened, generally on Christmas Eve, for a holy year.

Holy See A see refers to the place from which a bishop governs his diocese, namely, the specific geographical territory over which he has the pastoral care of Catholics. The Holy See, sometimes called the Apostolic See, is the see of Peter, the bishop of Rome, who is the pope. Holy See, referring to the primacy of the pope, denotes the moral and spiritual authority exercised by the pontiff through the central government of the church, the curia.

Holy Year A period decreed by the pope for the universal church, during which the faithful may acquire plenary indulgences by fulfilling certain conditions established by the church. A holy year begins on the Christmas Eve preceding the start of the year.

Investiture Controversy This late eleventh and early twelfth-century debate focused on the question of the separation of church and state. In the early Middle Ages lay lords often chose candidates for the episcopacy. In 1075, Pope Gregory VII forbade lay investiture and excommunicated the emperor Henry IV, who subsequently drove the pope from Rome and placed his own candidate on the papal throne. At the Diet of Worms in 1122 the emperor Henry V gave up the right to appoint bishops, but retained the right to receive the homage of bishops in exchange for land holdings.

Jubilee A biblical term, from the Hebrew word jobhel, or ram's horn. A jubilee is the celebration of an anniversary, a period of rejoicing. They are preeminent religious occasions and periods of great grace: times for the forgiveness of sins and punishment due to sin, for reconciliation between man and God and man and man.

Loggia An open-sided, arcaded structure with columns, occupying either the ground story (portico) or an upper story (gallery) of a building.

Mozzetta A short, usually elbow-length cape that encircles a prelate. It has an upright collar and fastens with twelve silk-covered buttons that traditionally represent the twelve apostles. Usually of a light wool (merlino) and silk, it is worn by all bishops when vested in choir; only the pope wears one of velvet. The mozzetta is currently reserved for the episcopal dignity and certain other clerics and is also worn by chaplains of the Equestrian Order of the Holy Sepulcher and the Order of Malta.

Pilgrim A pilgrim is one who undertakes a pilgrimage, that is, a journey to a sacred place, as an act of religious devotion. It may be to venerate a holy place, a relic, or other object of devotion; to do penance; to offer thanksgiving for a favor received or to ask for such a favor; or any combination of these. A pilgrimage is symbolic of our earthly existence, that is, our journey to the heavenly kingdom.

Pope The bishop of Rome or Roman pontiff. When, upon the death of a pope, the College of Cardinals enters into conclave to elect his successor, they do not elect the pope but, rather, the bishop of Rome, who, by virtue of that office is pope. Canon 331 of the Code of Canon Law states: "The bishop of the Church of Rome, in whom resides the office given in a special way by the Lord to Peter, first of the Apostles and to be transmitted to his successors, is head of the college of bishops, the Vicar of Christ and Pastor of the Universal Church on earth; therefore, in virtue of his office he enjoys supreme, full, immediate and universal ordinary power in the Church, which he can always freely exercise."

Relics (cult of) The veneration of the mortal remains of the saints, or the clothing or objects that once belonged

to them. The scope and justification of such veneration is to proclaim the wonders of Christ and provide the faithful with an example to emulate.

Tabernacle A case or box on a church altar containing the consecrated Host and wine of the Eucharist. Through the centuries, these receptacles have assumed various forms, including towers, caskets, doves, or niches carved out of walls; they usually have a closing hatch or door. The fifteenth century saw the introduction of tabernacles built in the form of little temples, and in the following century they found their place on the altar.

Transept The transverse part of a church intersecting the nave at right angles and giving the plan its cross shape.

Glosario

Ábside Sección semicircular o semipoligonal ubicada en la parte posterior de una iglesia donde termina la nave y algunas veces los pasillos.

Altar (Lat., ara) Una mesa o estructura donde se ofrecen sacrificios. En la adoración cristiana, el altar generalmente se encuentra en el centro del santuario donde se celebra el acto sacramental de la misa. El altar es el símbolo de Cristo, la piedra angular sobre la cual está fundada la iglesia, y como tal es venerado con un beso e incienso. En las antiguas basílicas sólo había un altar, pero con el pasar de los siglos, la proliferación de misas privadas y capillas adicionales han significado la presencia de numerosos altares en monasterios e iglesias.

Anillo del pescador Anillo papal con forma de sello oficial. Su imagen muestra al apóstol Pedro parado en el bote mientras recoge las redes.

Año santo Jubileo (o Año Jubilar), es un período decretado por el Papa para la iglesia universal durante el cual los fieles pueden obtener ciertas condiciones establecidas por la iglesia. El año santo empieza la noche de Navidad que precede al inicio del año.

Atrio En su significado inicial, el atrio se refería al vestíbulo o entrada de una casa griega o romana. Hoy día se le llama atrio a la primera entrada o entrada principal, interna o externa, de un edifico usualmente decorado o con columnas a los lados. El atrio de San Pedro, por ejemplo, es el área amplia y abierta entre la fachada – el frente principal o cara del edificio – y la entrada real.

Bajorelieve Un tallado, repujado o fundido moderadamente resaltado – o protuberante – de la superficie sobre la que se realiza.

Baldaquín (también baldaquino, dosel) Técnicamente, un dosel o tela sobre el altar o trono. Un dosel que descansa directamente sobre cuatro columnas hechas de madera, piedra, mármol o metal más conocido como ciborio. Litúrgicamente, el baldaquín simboliza la carpa que cubre, protege y adorna, y es una referencia directa al evangelio de Juan que se refiere a la palabra hecha carne y la "carpa" o "tienda" una vivienda entre nosotros (Jn 1:14).

Baptisterio o Bautisterio Una construcción Cristiana de plano central diseñada para celebrar el rito del bautismo, construida originalmente al lado de la primeras basílicas Cristinas y Romanescas. Luego la fuente bautismal fue integrada a la iglesia misma.

Basílica Originalmente el término usado para un pasillo ceremonia o judicial. El emperador Constantino usó el prototipo de la basílica para construcciones de iglesias en el siglo cuarto. Una basílica siempre tiene un ante patio, con árboles y una fuente, y un pórtico de columnas alrededor. El gran pasillo fue anexado a la galería. Hay dos tipos: La basílicas mayores, en Roma, incluyendo la de San Pedro en el Vaticano, la de San Pablo Extramuros, San Juan de Letrán, Santa María la Mayor, San Lorenzo Extramuros y San Sebastián, así como la Basílica de la Santa Cruz en Jerusalén, y las basílicas menores que son otras importantes también en Roma, y por todo el mundo.

Birrete o bonete Un gorro cuadrado con tres pliegues o picos. El birrete de los cardenales se distingue por su color rojo, violeta el del obispo y negro el del clérigo.

Bolsa o cubierta Un receptáculo, a menudo vistosamente decorado, para guardar el corporal y la patena cuando no están en uso antes de la misa. En el siglo 16 tomó la forma de un cuadrado con un lado abierto o funda.

Bula Del latín bulla, que significa sello. Las bulas se refieren al sello de plomo o cera que anteriormente para pegar documentos importantes de la iglesia. Por extensión el término se ha convertido en el documento papal o apostólico. Un bullarium es una colección de bulas papales.

Campanas El uso de campanas en la iglesia puede remontarse al siglo octavo. Las campanas a menudo han sido la vox Dei, o voz de Dios, porque llaman a los fieles a la adoración.

Canónigos El grupo de sacerdotes diocesanos responsables de las inquietudes temporales y espirituales de una catedral local. Los canónigos continúan en las basílicas mayores en Roma y se reúnen diariamente para la celebración de las Liturgia de las Horas.

Capa o mozzeta Una capa corta, usualmente hasta la altura del codo, que usan los prelados. Tiene un cuello vertical y se ajusta con 12 botones cubiertos en seda que tradicionalmente representan a los doce apóstoles. Por lo general hecha de lana ligera (merlino) y seda, es usada por todos los obispos cuando participan en el coro. Sólo el Papa usa una de terciopelo. La mozzetta está reservada para la dignidad episcopal y otros clérigos, y es usada también por los capellanes de la Orden Ecuestre del Santo Sepulcro y la Orden de Malta.

Capa Versión ceremonial del manto usado habitualmente durante el Imperio Romano. Es una pieza de tela semicircular que se pone sobre los hombros y se sujeta con un broche. Por lo general la capa y el broche son decorados y lo utilizan prelados en ejercicio o clérigos en celebraciones no eucarísticas como bautizos, bodas o la Liturgia de las Horas.

Cardenal Después del Papa, el título de Cardenal es el de más alta dignidad en La Iglesia Católica y fue reconocido desde muy temprano, en el pontificado de Silvestre I e n el siglo cuarto. Proveniente de la raíz latina cardo que significa "bisagra" o "juntura", los cardenales son elegidos por decreto del pontificio Romano y son elegidos para servir como sus principales colaboradores y asistentes. El Cardenal es un título honorario, no de ordenación (como diáconos, sacerdotes u obispos). Sólo los obispos pueden ser nombrados Cardenales.

Cátedra o silla magisterial Proviene el latín cathedra, que significa "silla", el término se refiere tanto a la silla del obispo que gobierna la diócesis (y por lo tanto simboliza su autoridad docente) como a la iglesia donde el obispo celebra la ceremonias litúrgicas más importantes de su Diócesis.

Catedral Una iglesia que sirve como sede del obispo local donde existe su autoridad docente.

Ciborio Un dosel o baldaquín de piedra, madera o mármol soportado por cuatro columnas sobre un altar o la vasija en forma cáliz que contiene la hostia usada en la celebración litúrgica de la misa.

Colegio de Cardenales (o Colegio Cardenalicio) Los cardenales de la Santa Iglesia Católica constituyen colectivamente el colegio de electores y asistentes principales del Papa. El Papa designa los obispos del colegio (con contadas excepciones), quienes son en su mayoría directores de sus propias diócesis o arquidiócesis. El Colegio de Cardenales se reúne con el Papa en consejos (consistorios) ordinarios y extraordinarios para realizar consultas. Según la práctica actual, luego de la muerte del Papa todos los cardenales menores de ochenta años se reúnen para elegir a un nuevo Papa. En el siglo once se inició la costumbre de designar a los cardenales ministros fuera de Roma. En 1059 el Papa Nicolás II nombró a los cardenales cuerpo representativo de la Iglesia Romana en la elección del Papa. La práctica sigue hasta nuestros días.

Colegio Episcopal El cuerpo de obispos, encabezado por el Papa, representa a los sucesores de los apóstoles en la enseñanza y jurisdicción pastoral de la iglesia. Se hacen miembros a través de la sagrada ordenación del episcopado. El colegio ejerce la suprema autoridad de la iglesia cuando participa en un consejo ecuménico o por acción colegial de los obispos en unión con el Papa.

Cónclave La reunión de todos los cardenales que son elegibles para votar por un nuevo papa. La palabra se deriva del latín con (con) y clavis (llave), y se refiere al hecho de que la reunión de los cardenales electores se realiza a puerta cerrada y con seguro.

Consistorio Asamblea del colegio de cardenales.

Constitución Apostólica Documento oficial usado por el Papa para promulgar una ley.

Cripta Cámara o habitación ubicada normalmente debajo del piso principal de una iglesia, donde se guardan las reliquias del santo titular, o las tumbas de obispos y otros personajes ilustres.

Dogma de la Inmaculada Concepción Dogma declarado oficialmente por el Papa Pío IX en 1854, el cual establece que la bendita Virgen María estaba libre de pecado original desde el primer instante de su existencia. Esta enseñanza es conmemorada el 8 de diciembre, el día de fiesta litúrgico.

Dogma Una enseñanza definitiva o infalible de la iglesia. La declaración de un dogma es privilegio del concilio ecuménico, incluyendo al Papa o del Papa actuando como cabeza terrenal de la iglesia, aparte de un consejo.

Fabbrica de San Pedro (la Fabbrica di San Pietro) Comisión del Vaticano que supervisa el mantenimiento de la basílica de San Pedro.

Fresco Pintura sobre una pared o muro realizada usando una técnica en la cual los pigmentos son aplicados sobre la superficie del emplaste (intonaco o revoque), o masilla mientras esta aún fresca y húmeda.

Jubileo Término bíblico, del hebreo jobhel, o cuerno de carnero. El jubileo es la celebración de un aniversario, un período de regocijo. Significa ocasiones religiosas importantes y periodos de concesiones especiales: tiempos para el perdón de los pecados y de castigos relacionados con el pecado, para la reconciliación del hombre con Dios y del hombre con el hombre.

Logia Estructura abierta en forma de arco con columnas, que ocupa el primer piso (pórtico o porche), o en el piso superior (galería) de un edificio.

Obispo (Gr. Episkopos) Un sacerdote que disfruta de la "totalidad del sacramento de la orden sagrada" por su congregación, para el episcopado. La función del obispo es enseñar, guiar y santificar. Los obispos diocesanos son los supervisores de su territorio en asuntos litúrgicos, teológicos, canónicos y administrativos. Aunque los obispos ordenados son miembros del Colegio de Obispos, la cabeza es el obispo de Roma, el Papa.

Papa El obispo de Roma o Pontífice Romano. Cuando, a la muerte del Papa, el Colegio de Cardenales inicia el cónclave para elegir a su sucesor, no elige al Papa sino al Obispo de Roma quien, en virtud de este oficio es Papa. El canon 331 del Código de la Ley Canónica establece: "El obispo de la Iglesia de Roma, en quien reside el oficio ofrecido de manera especial por Nuestro Señor a Pedro, primero de los apóstoles, y el cual habrá de trasmitirse a sus sucesores, es la cabeza del Colegio de Obispos, el vicario de Cristo y Pastor de la Iglesia Universal en la tierra; por lo tanto, en virtud de su cargo disfruta de poder supremo, absoluto, inmediato y ordinario universal en la iglesia, y el cual puede ejercer libremente".

Peregrino Un peregrino es aquel que emprende una peregrinación, o viaje a un lugar sagrado, como acto de devoción religiosa. Puede hacerse para venerar un lugar sagrado o reliquia, u otro objeto de devoción; como penitencia, acción de gracias por un favor recibido, para pedir por un favor o cualquier combinación de estas opciones. La peregrinación es una representación simbólica de nuestra existencia terrenal, es decir nuestro viaje hacia el reino de los cielos.

Primer Concilio Vaticano El concilio ecuménico que se reunió entre diciembre de 1869 y octubre de 1870 en la Basílica de San Pedro. Fue convocado por el papa San Pío IX y aprobó dos constituciones dogmáticas: De Filius sobre la relación entre la Fe y la razón, y Pas Aeternus, sobre la primacía jurídica del papado y la infalibilidad del Papa.

Puerta sagrada Una puerta tapiada, es realmente una puerta doble, que se encuentra en cada una de las cuatro Basílicas romanas mayores que visitan los peregrinos durante el año santo. La porción de la puerta tapiada o fijada con cemento, está ubicada dentro de la iglesia y es la parte que debe desmantelarse para poder abrir la puerta exterior, generalmente en la noche de Navidad o para el año santo (o jubilar).

Querella de las Investiduras Este debate, ocurrido a finales del siglo once y principios del siglo, doce cuestionó la separación de la iglesia y el estado. Al inicio de la edad media los señores civiles a menudo elegían candidatos para el episcopado. En 1075 el Papa Gregorio VII prohibió imponer la investidura al emperador Henry IV, a quien excomulgó y quien, a su vez, pidió al Papa salir de Roma y nombró su propio candidato al trono papal. Durante la Dieta de Worms, en 1122, el emperador Henry V desistió de su derecho de designar obispos pero conservó el de recibir homenaje de los obispos a cambio de conservar la tierras.

Quirógrafo o decreto papal Un mensaje formal escrito por la propia mano el Papa.

Reliquias (culto a las) La veneración de los restos mortales de los santos, o sus vestiduras u objetos que alguna vez les pertenecieron. El alcance y justificación de tal veneración busca proclamar las maravillas de Cristo y dar a los fieles un ejemplo a seguir.

Santa sede Una sede es lugar desde el cual el obispo gobierna la diócesis, o territorio geográfico específico en el que ejerce el cuidado pastoral de los católicos. La Santa Sede, llamada algunas veces la Sede Apostólica, es la sede de Pedro, el obispo de Roma que es el Papa. La Santa Sede se refiere a la primacía del Papa, denota la autoridad espiritual y moral ejercida por el pontífice a través del gobierno central de la iglesia, la curia.

Sede Apostólica Este término se refiere no sólo al pontificado romano, sino además a la secretaría de estado, el consejo para asuntos públicos de la iglesia y otras instituciones de la curia romana.

Sucesión apostólica A través de la colocación de las manos, durante el rito de la ordenación episcopal, el Colegio de Obispos continúa desde San Pedro hasta el presente.

Tabernáculo Estuche o caja de madera situada sobre el altar de una iglesia para guardar las hostias consagradas y el vino de la eucaristía. A través de los siglos estos receptáculos han asumido varias formas, incluyendo torres, cofres, palomas o cofres insertados en paredes, usualmente con puerta o tapa para cerrar. En el siglo quince se introdujeron los tabernáculos construidos en forma de pequeños templos, y en el siglo siguiente fueron ubicados en el altar.

Transepto o nave transversal, es la parte de la iglesia donde se forman los ángulos rectos, producto de la intersección de las porciones que dan al plano la forma de cruz.